Date Due

S

CHATEAUBRIAND

After the Portrait by Girodet (1809).

Heath's Modern Language Series

ATALA

BY

François-René, vicomte de 1768-1848

CHATEAUBRIAND

_EDITED WITH AN INTRODUCTION, NOTES AND
A VOCABULARY_

BY

OSCAR KUHNS

PROFESSOR OF ROMANCE LANGUAGES, WESLEYAN UNIVERSITY

D. C. HEATH & CO., PUBLISHERS

BOSTON   NEW YORK   CHICAGO

INTRODUCTION*

It would be an attractive task if one had the necessary time and knowledge to investigate the subject of the rise, growth and decline of literary reputations. Many interesting facts, and perhaps some important principles of criticism might thus be brought to light. Few authors illustrate more strikingly the vicissitudes of such a reputation than Chateaubriand, the great leader of French Romanticism. During the early part of his career, he was regarded as the greatest literary genius in France, and was looked up to and imitated by the writers of the new Romantic school, upon whom his

---

Biography. — François-René de Chateaubriand was born at Saint-Malo, September 4, 1768. After a lonely youth passed in Brittany, he came to Paris at the age of twenty, and made his first essay in literature. In 1791, he made a voyage to America, but returned to France at the news of the flight and capture of Louis XVI. He was soon forced to flee, and went to England, where he wrote his *Essai historique sur les Révolutions (1796)*, in which are reflected his bitterness, discontent and pessimism. Touched by the death of his mother, he experienced a change of heart, and on his return to France, published his *Génie du Christianisme*, the influence of which in the restoration of religious faith in France can hardly be overestimated. In 1806 he made an extensive trip to Greece and the Holy Land in order to obtain local color for his prose epic, *Les Martyrs*. During the Restoration he became interested in politics, and served at various times as

iii

influence was practically boundless.   Everywhere in the works of Lamartine, Vigny, Musset, and Victor Hugo, we find reminiscences of the thoughts, ideas, sentiments and style of Chateaubriand.   And yet of the vast amount of writing left by him, the largest part has sunk into half-oblivion, known only to the special student.   To-day *Atala*, *René*, and selections from *Les Martyrs* and the *Itinéraire* alone are read by the general public.

The character of Chateaubriand is of the utmost importance in understanding his literary work, which in common with the general tendency of all Romantic writers is marked by an excessive subjectivity.   René, Chactas, and all the rest of his heroes are none other than the author himself, and everywhere we see his hand in prefaces, notes, critical remarks, and *pièces justificatives.*   Probably no other writer ever lived who so persistently thrust his own personality on the notice

---

ambassador to Berlin, London, and, under Charles X, to Rome. His literary work during this period is largely political and controversial.   During the last years of his life he was engaged on his *Mémoires d'outre Tombe*, which he sold to the publishers for an annuity of 20,000 francs, for himself, and one of 12,000 for his wife after his death.   He died July 4, 1848.

The principal works of Chateaubriand are *Atala* (1801), the *Génie du Christianisme* (1802), of which *Atala* originally formed a part, — *René* (1805), *Les Martyrs* (1809), the *Itinéraire de Paris à Jérusalem* (1811), and the posthumously published *Mémoires d'outre Tombe*.   For further information regarding Chateaubriand the student may consult the following books : Lescure, *Chateaubriand (in Grands Ecrivains Français)*; Benoit, *Chateaubriand et ses Oeuvres*; Bourdoux, *Chateaubriand (Collection de classiques Populaires)*; Sainte-Beuve, *Chateaubriand et son Groupe Littéraire.*

of the reader. Truth compels us to say that the character of Chateaubriand was not an attractive one, as far as we can judge of it from the events of his life and from his own writings. It is marked by vanity, unrestrained sentimentality, affectation, and a certain kind of morbid sensuousness. He was melancholy and discontented, and the later years of his career were marked by peevish complaints of ill-treatment at the hands of his critics. The early circumstances of his life in the lonely château de Combourg called out his natural tendency to brooding, which by constant cultivation, developed into unrestrained emotionalism. This is largely the cause of Chateaubriand's worst faults as a writer; believing as he did that feeling is the all-important thing, he cultivated this at the expense of other requisites of literary composition. Everywhere he sought, — not clear thoughts or convincing arguments, — but picturesque descriptions, poetic rhapsodies, and melancholy reflections on the vanity of life.

Although a consummate master of style, he lacked restraint, moderation, and system in the use of his materials. Few writers show such a confused mass of ideas, descriptions, and reflections, tumbled together pell-mell, as Chateaubriand. The *Génie du Christianisme* has no thread of argument running through it, but is a jumble of disquisitions on all sorts of subjects, — Christian institutions, nature, poetry, art, chivalry and missions, while *Les Natchez*, partly prose epic poem, partly novel, is a most amazing wilderness of literary extravagance.

It is in the picturesqueness and the luxuriant opulence of his style that Chateaubriand can claim the title of a great writer. His command over language was almost unlimited, and many of his descriptions are unsurpassed to-day. Here too we may look for an explanation of his wonderful success and influence. All this wealth of description, unknown to the age of Louis XIV., came as a revelation to the early 19th century. Although Rousseau and St. Pierre had led the way, Chateaubriand was the first to introduce the reign of description. From him date to a large extent local color and poetic prose. He went through life with an eye single to picturesque effects; for this he made journeys to America and the Orient, and the material there gathered was a mine out of which he drew the subject matter of nearly all his books. It is surprising to see how often he makes use of the same scene or description. This passion for description is applied to ruins, customs, cathedrals, and the monuments of the Middle Ages; but the chief field is that of nature. The remarkable development of a feeling for this in France received a strong additional impulse from him.

The deep undercurrent of melancholy in the literature of the early 19th century is a very striking phenomenon, and spread like a disease over all Europe. It is beyond doubt that Chateaubriand helped largely to spread it. The established type of the *homme fatal* was René, whose story is told in the book of the same name, wherein we see him the victim of morbid yearnings, of constant brooding and unrestrained emotion, the foreordained victim of fate.

From the above remarks it will be seen that some knowledge of Chateaubriand is necessary for the student of French literature. While other of his books are more characteristic, none is so suited for general reading as *Atala*. In the first place this alone (with *René*), has survived the flood of years; to-day it occupies in French literature a popularity equal to that of "Paul and Virginia." It has been published in every conceivable form, from the small pocket edition to the superb quarto illustrated by Doré, and has been translated into nearly every civilized tongue. It not only illustrates nearly all the characteristic features of Chateaubriand's own genius, but if the student, while reading this little book, will compare it carefully with what he has read of the 17th century writers, he will have gone a long way toward a knowledge of that striking phenomenon of modern European literature, — Romanticism.

O. K.

MIDDLETOWN, CONN.,
    MARCH, 1905.

ATALA

PROLOGUE

La France possédait autrefois, dans l'Amérique septentrionale, un vaste empire qui s'étendait depuis le
Labrador jusqu'aux Florides,[1] et depuis les rivages de
l'Atlantique jusqu'aux lacs les plus reculés du haut
Canada.   5

Quatre grands fleuves,[2] ayant leurs sources dans les
mêmes montagnes, divisaient ces régions immenses: le
fleuve Saint-Laurent, qui se perd à l'est dans le golfe de
son nom; la rivière de l'Ouest, qui porte ses eaux à des
mers inconnues; le fleuve Bourbon, qui se précipite du 10
midi au nord dans la baie d'Hudson; et le Meschacebé,[3]
qui tombe du nord au midi dans le golfe du Mexique.

Ce dernier fleuve, dans un cours de plus de mille
lieues, arrose une délicieuse contrée que les habitants
des États-Unis appellent le *nouvel Eden*, et à laquelle 15
les Français ont laissé le doux nom de *Louisiane*.   Mille
autres fleuves, tributaires du Meschacebé, le Missouri,
l'Illinois, l'Akanza,[4] l'Ohio, le Wabache,[5] le Tenase,[6] l'en-
graissent de leur limon et la fertilisent de leurs eaux.
Quand tous ces fleuves se sont gonflés des déluges de 20
l'hiver, quand les tempêtes ont abattu des pans entiers
de forêts, les arbres déracinés s'assemblent sur les
sources.   Bientôt la vase les cimente, les lianes les en-

chaînent; et les plantes, y prenant racine de toutes parts, achèvent de consolider ces débris. Charriés par les vagues écumantes, ils descendent au Meschacebé: le fleuve s'en empare, les pousse au golfe Mexicain, les 5 échoue sur des bancs de sable, et accroît ainsi le nombre de ses embouchures. Par intervalle, il élève sa voix en passant sur les monts, et répand ses eaux débordées autour des colonnades des forêts et des pyramides des tombeaux indiens; c'est le Nil des déserts. Mais la 10 grâce est toujours unie à la magnificence dans les scènes de la nature; tandis que le courant du milieu entraîne vers la mer les cadavres des pins et des chênes, on voit sur les deux courants latéraux remonter, le long des rivages, des îles flottantes de pistia[1] et de nénuphar, dont 15 les roses jaunes s'élèvent comme de petits pavillons. Des serpents verts, des hérons bleus, des flamants roses, de jeunes crocodiles, s'embarquent passagers sur ces vaisseaux de fleurs; et la colonie, déployant aux vents ses voiles d'or, va aborder endormie dans quelque anse retirée 20 du fleuve.

Les deux rives du Meschacebé présentent le tableau le plus extraordinaire.[2] Sur le bord occidental, des savanes se déroulent à perte de vue; leurs flots de verdure, en s'éloignant, semblent monter dans l'azur du ciel, où 25 ils s'évanouissent. On voit dans ces prairies sans bornes errer à l'aventure des troupeaux de trois ou quatre mille buffles sauvages. Quelquefois un bison chargé d'années, fendant les flots à la nage, se vient coucher,[3] parmi de hautes herbes, dans une île du Meschacebé. A son front 30 orné de deux croissants, à sa barbe antique et limoneuse, vous le prendriez pour le dieu du fleuve, qui jette un œil

satisfait par la grandeur de ses ondes et la sauvage abondance de ses rives.

Telle est la scène sur le bord occidental; mais elle
change sur le bord opposé, et forme avec la première un
admirable contraste. Suspendus sur le cours des eaux, 5
groupés sur les rochers et sur les montagnes, dispersés
dans les vallées, des arbres de toutes les formes, de toutes
les couleurs, de tous les parfums, se mêlent, croissent
ensemble, montent dans les airs à des hauteurs qui fati-
guent les regards. Les vignes sauvages, les bignonias, 10
les coloquintes, s'entrelacent au pied de ces arbres, escala-
dent leurs rameaux, grimpent à l'extrémité des branches,
s'élancent de l'érable au tulipier, du tulipier à l'alcée, en
formant mille grottes, mille voûtes, mille portiques. Souvent, égarées d'arbre en arbre, ces lianes traversent des 15
bras de rivière, sur lesquels elles jettent des ponts de
fleurs. Du sein de ces massifs, le magnolia élève son
cône immobile; surmonté de ses larges roses blanches, il
domine toute la forêt, et n'a d'autre rival que le palmier,
qui balance légèrement auprès de lui ses éventails de 20
verdure.

Une multitude d'animaux placés dans ces retraites par
la main du Créateur y répandent l'enchantement et la
vie. De l'extrémité des avenues on aperçoit des ours
enivrés de raisin qui chancellent sur les branches des 25
ormeaux; des cariboux se baignent dans un lac; des
écureuils noirs se jouent dans l'épaisseur des feuillages;
des oiseaux-moqueurs, des colombes de Virginie, de la
grosseur d'un passereau, descendent sur les gazons rougis
par les fraises; des perroquets verts à tête jaune, des 30
piverts empourprés, des cardinaux de feu, grimpent en

circulant au haut des cyprès; des colibris étincellent sur
le jasmin des Florides, et des serpents-oiseleurs sifflent
suspendus aux dômes des bois, en s'y balançant comme
des lianes.

5   Si tout est silence et repos dans les savanes de l'autre
côté du fleuve, tout ici, au contraire, est mouvement **et**
murmure: des coups de bec contre le tronc des chênes,
des froissements d'animaux qui marchent, broutent ou
broient entre leurs dents les noyaux des fruits; des bruis-
10 sements d'ondes, de faibles gémissements, de sourds
meuglements, de doux roucoulements, remplissent ces déserts d'une tendre et sauvage harmonie.   Mais quand une
brise vient à animer ces solitudes, à balancer ces corps
flottants, à confondre ces masses de blanc, d'azur, de
15 vert, de rose; à mêler toutes les couleurs, à réunir tous
les murmures: alors il sort de tels bruits du fond des
forêts, il se passe de telles choses aux yeux, que j'essaye-
rais en vain de les décrire à ceux qui n'ont point parcouru
ces champs primitifs de la nature.

20   Après la découverte du Meschacebé[1] par le père Marquette et l'infortuné La Salle, les premiers Français qui
s'établirent au Biloxi[2] et à la Nouvelle-Orléans firent
alliance avec les Natchez,[3] nation indienne, dont la puissance était redoutable dans ces contrées.   Des querelles
25 et des jalousies ensanglantèrent dans la suite la terre de
l'hospitalité.   Il y avait parmi ces sauvages un vieillard
nommé Chactas[4], qui, par son âge, sa sagesse et sa science
dans les choses de la vie, était le patriarche et l'amour des
déserts.   Comme tous les hommes, il avait acheté la
30 vertu par l'infortune.   Non-seulement les forêts du Nouveau-Monde furent remplies de ses malheurs, mais il les

porta jusque sur les rivages de la France. Retenu aux
galères à Marseille par une cruelle injustice, rendu à la
liberté, présenté à Louis XIV, il avait conversé avec les
grands hommes de ce siècle, et assisté aux fêtes de Versailles,[1] aux tragédies de Racine, aux oraisons funèbres de 5
Bossuet ; en un mot, le sauvage avait contemplé la société
à son plus haut point de splendeur.

Depuis plusieurs années, rentré dans le sein de sa
patrie, Chactas jouissait du repos. Toutefois le ciel lui
vendait encore cher cette faveur : le vieillard était devenu 10
aveugle. Une jeune fille l'accompagnait sur les coteaux
du Meschacebé, comme Antigone[2] guidait les pas d'Œdipe
sur le Cithéron, ou comme Malvina[3] conduisit Ossian sur
les rochers de Morven.

Malgré les nombreuses injustices que Chactas avait 15
éprouvées de la part des Français, il les aimait. Il se
souvenait toujours de Fénelon,[4] dont il avait été l'hôte,
et désirait pouvoir rendre quelque service aux compatri-
otes de cet homme vertueux. Il s'en présenta une occasion favorable. En 1725, un Français nommé René,[5] 20
poussé par des passions et des malheurs, arriva à la
Louisiane. Il remonta le Meschacebé jusqu'aux Natchez,
et demanda à être reçu guerrier de cette nation. Chactas,
l'ayant interrogé et le trouvant inébranlable dans sa ré-
solution, l'adopta pour fils, et lui donna pour épouse une 25
Indienne appelée Céluta.[6] Peu de temps après ce mariage,
les sauvages se préparèrent à la chasse du castor.

Chactas, quoique aveugle, est désigné par le conseil
des sachems pour commander l'expédition, à cause du
respect que les tribus indiennes lui portaient. Les prières 30
et les jeûnes commencent ; les jongleurs interprètent les

songes; on consulte les manitous;[1] on fait des sacrifices
de petun;[2] on brûle des filets de langue d'orignal;[3] on
examine s'ils pétillent dans la flamme, afin de découvrir
la volonté des génies; on part enfin, après avoir mangé
5 le chien sacré. René est de la troupe. A l'aide des
contre-courants, les pirogues[4] remontent le Meschacebé
et entrent dans le lit de l'Ohio. C'est en automne. Les
magnifiques déserts du Kentucky se déploient aux yeux
étonnés du jeune Français. Une nuit, à la clarté de la
10 lune, tandis que tous les Natchez dorment au fond de
leurs pirogues, et que la flotte indienne, élevant ses voiles
de peaux de bêtes, fuit devant une légère brise, René,
demeuré seul avec Chactas, lui demande le récit de ses
aventures. Le vieillard consent à le satisfaire, et, assis
15 avec lui sur la poupe de la pirogue, il commence en ces
mots:[5]

LE RÉCIT

LES CHASSEURS

«C'est une singulière destinée, mon cher fils, que celle
qui nous réunit. Je vois en toi l'homme civilisé qui s'est
fait sauvage; tu vois en moi l'homme sauvage que le
20 Grand Esprit (j'ignore pour quel dessein) a voulu civiliser. Entrés l'un et l'autre dans la carrière de la vie
par les deux bouts opposés, tu es venu te reposer à ma
place, et j'ai été m'asseoir à la tienne: ainsi nous avons
dû avoir des objets une vue totalement différente. Qui,
25 de toi ou de moi, a le plus gagné ou le plus perdu à ce

changement de position? C'est ce que savent les génies, dont le moins savant a plus de sagesse que tous les hommes ensemble.

»A la prochaine lune de fleurs[1] il y aura sept fois dix neiges, et trois neiges[2] de plus, que ma mère me mit au monde sur les bords du Meschacebé. Les Espagnols s'étaient depuis peu établis dans la baie de Pensacola;[3] mais aucun blanc n'habitait encore la Louisiane. Je comptais à peine dix-sept chutes de feuilles,[4] lorsque je marchai avec mon père, le guerrier Outalissi, contre les Muscogulges,[5] nation puissante des Florides. Nous nous joignîmes aux Espagnols nos alliés, et le combat se donna sur une des branches de la Maubile.[6] Areskoui[7] et les manitous ne nous furent pas favorables. Les ennemis triomphèrent, mon père perdit la vie; je fus blessé deux fois en le défendant. Oh! que ne descendis-je alors dans le pays des âmes![8] j'aurais évité les malheurs qui m'attendaient sur la terre. Les esprits en ordonnèrent autrement: je fus entraîné par les fuyards à Saint-Augustin.[9]

»Dans cette ville, nouvellement bâtie par les Espagnols, je courais le risque d'être enlevé pour les mines de Mexico, lorsqu'un vieux Castillan, nommé Lopez,[10] touché de ma jeunesse et de ma simplicité, m'offrit un asile, et me présenta à une sœur avec laquelle il vivait sans épouse.

»Tous les deux prirent pour moi les sentiments les plus tendres. On m'éleva avec beaucoup de soin; on me donna toute sorte de maîtres. Mais après avoir passé trente lunes à Saint-Augustin, je fus saisi du dégoût de la vie des cités. Je dépérissais à vue d'œil: tantôt je demeurais immobile pendant des heures à con-

templer la cime des lointaines forêts; tantôt on me trouvait assis au bord d'un fleuve que je regardais tristement
couler.   Je me peignais les bois à travers lesquels cette
onde avait passé, et mon âme était tout entière à la soli-
5 tude.

     »Ne pouvant plus résister à l'envie de retourner au
désert, un matin je me présentai à Lopez, vêtu de mes
habits de sauvage, tenant d'une main mon arc et mes
flèches, et de l'autre mes vêtements européens.   Je les
10 remis à mon généreux protecteur, aux pieds duquel je
tombai en versant des torrents de larmes.   Je me donnai
des noms odieux; je m'accusai d'ingratitude.   « Mais
enfin, lui dis-je, ô mon père! tu le vois toi-même: je
meurs, si je ne reprends la vie de l'Indien.»

15   »Lopez, frappé d'étonnement, voulut me détourner de
mon dessein.   Il me représenta les dangers que j'allais
courir, en m'exposant à tomber de nouveau entre les
mains des Muscogulges.   Mais, voyant que j'étais résolu
à tout entreprendre, fondant en pleurs et me serrant dans
20 ses bras: «Va, s'écria-t-il, enfant de la nature, reprends
»cette indépendance de l'homme, que Lopez ne veut point
»te ravir!   Si j'étais plus jeune moi-même, je t'accompa-
»gnerais au désert (où j'ai aussi de doux souvenirs), et
»je te remettrais dans les bras de ta mère.   Quand tu
25 »seras dans tes forêts, songe quelquefois à ce vieil Espa-
»gnol qui te donna l'hospitalité, et rappelle-toi, pour te
»porter à l'amour de tes semblables, que la première ex-
»périence que tu as faite du cœur humain a été toute en
»sa faveur.»   Lopez finit par une prière au Dieu des
30 chrétiens, dont j'avais refusé d'embrasser le culte, et
nous nous quittâmes avec des sanglots.

»Je ne tardai pas à être puni de mon ingratitude.
Mon inexpérience m'égara dans les bois, et je fus pris
par un parti de Muscogulges et de Siminoles,[1] comme
Lopez me l'avait prédit. Je fus reconnu pour Natchez
à mon vêtement et aux plumes qui ornaient ma tête. 5
On m'enchaîna, mais légèrement, à cause de ma jeunesse. Simaghan, le chef de la troupe, voulut savoir
mon nom; je répondis: «Je m'appelle Chactas, fils
»d'Outalissi, fils de Miscou, qui ont enlevé plus de cent
»chevelures[2] aux héros muscogulges.» Simaghan me dit: 10
»Chactas, fils d'Outalissi, fils de Miscou, réjouis-toi, tu
»seras brûlé au grand village.» Je repartis: «Voilà qui
va bien, » et j'entonnai ma chanson de mort.

»Tout prisonnier que j'étais, je ne pouvais, durant les
premiers jours, m'empêcher d'admirer mes ennemis. Le 15
Muscogulge, et surtout son allié le Siminole, respire la
gaieté, l'amour, le contentement. Sa démarche est légère, son abord ouvert et serein. Il parle beaucoup et
avec volubilité; son langage est harmonieux et facile.
L'âge même ne peut ravir aux sachems cette simplicité 20
joyeuse: comme les vieux oiseaux de nos bois, ils mêlent
encore leurs vieilles chansons aux airs nouveaux de leur
jeune postérité.

»Les femmes qui accompagnaient la troupe témoi-
gnaient pour ma jeunesse une pitié tendre et une curiosité 25
aimable. Elles me questionnaient sur ma mère, sur les
premiers jours de ma vie; elles voulaient savoir si l'on
suspendait mon berceau de mousse aux branches fleuries
des érables, si les brises m'y balançaient auprès du nid
des petits oiseaux. C'étaient ensuite mille autres ques- 30
tions sur l'état de mon cœur. Je répondais avec naïveté

aux mères, aux filles et aux épouses des hommes; je leur
disais: «Vous êtes les grâces du jour, et la nuit vous aime
»comme la rosée. Vous savez des paroles magiques qui
»endorment toutes les douleurs. Voilà ce que m'a dit
5 »celle qui m'a mis au monde et qui ne me reverra plus!
»Elle m'a dit encore que les vierges étaient des fleurs
»mystérieuses qu'on trouve dans les lieux solitaires.»

»Ces louanges faisaient beaucoup de plaisir aux
femmes; elles me comblaient de toute sorte de dons;
10 elles m'apportaient de la crème de noix, du sucre
d'érable, de la sagamité,[1] des jambons d'ours, des peaux
de castor, des coquillages pour me parer et des mousses
pour ma couche. Elles chantaient, elles riaient avec
moi, et puis elles se prenaient à verser des larmes en
15 songeant que je serais brûlé.

»Une nuit que les Muscogulges avaient placé leur
camp sur le bord d'une forêt, j'étais assis auprès du *feu
de la guerre*, avec le chasseur commis à ma garde. Tout
à coup j'entendis le murmure d'un vêtement sur l'herbe,
20 et une femme à demi voilée vint s'asseoir à mes côtés.
Des pleurs coulaient sous sa paupière; à la lueur du feu,
un petit crucifix d'or brillait sur son sein. Elle était régulièrement belle; l'on remarquait sur son visage je ne
sais quoi de vertueux et de passionné, dont l'attrait était
25 irrésistible. Elle joignait à cela des grâces plus tendres;
une extrême sensibilité, unie à une mélancolie profonde,[2]
respirait dans ses regards; son sourire était céleste.

»Je crus que c'était la *Vierge des dernières amours*,[3]
cette vierge qu'on envoie au prisonnier de guerre pour
30 enchanter sa tombe. Dans cette persuasion, je lui dis
en balbutiant et avec un trouble qui pourtant ne venait

pas de la crainte du bûcher; «Vierge, vous êtes digne
» des premières amours, et vous n'êtes pas faite pour les
» dernières.   Les mouvements d'un cœur qui va bientôt
» cesser de battre répondraient mal aux mouvements du
» vôtre.   Comment mêler la mort et la vie?   Vous me 5
» feriez trop regretter le jour.   Qu'un autre soit plus
» heureux que moi, et que de longs embrassements unis-
» sent la liane et le chêne!»

» La jeune fille me dit alors: «Je ne suis point la *Vierge
» des dernières amours*.   Es-tu chrétien?» Je répondis que 10
je n'avais point trahi les génies de ma cabane.   A ces
mots, l'Indienne fit un mouvement involontaire.   Elle
me dit: «Je te plains de n'être qu'un méchant idolâtre.
» Ma mère m'a faite chrétienne: je me nomme *Atala*, fille
» de Simaghan aux bracelets d'or, et chef des guerriers de 15
» cette troupe.   Nous nous rendons à Apalachucla, où tu
» seras brûlé.»   En prononçant ces mots, Atala se lève et
s'éloigne.»

Ici Chactas fut contraint[1] d'interrompre son récit.
Les souvenirs se pressèrent en foule dans son âme; ses 20
yeux éteints inondèrent de larmes ses joues flétries: telles
deux sources, cachées dans la profonde nuit de la terre,
se décèlent par les eaux qu'elles laissent filtrer entre les
rochers.

» O mon fils! reprit-il enfin, tu vois que Chactas est 25
bien peu sage, malgré sa renommée de sagesse.   Hélas!
mon cher enfant, les hommes ne peuvent déjà plus voir,
qu'ils peuvent encore pleurer![2] Plusieurs jours s'écoulè-
rent: la fille du sachem revenait chaque soir me parler.
Le sommeil avait fui de mes yeux, et Atala était dans 30
mon cœur, comme le souvenir de la couche de mes pères.

»Le dix-septième jour de marche, vers le temps où l'éphémère sort des eaux, nous entrâmes sur la grande savane Alachua.[1] Elle est environnée de coteaux qui, fuyant les uns derrière les autres, portent, en s'élevant jusqu'aux nues, des forêts étagées de copalmes,[2] de citronniers, de magnolias et de chênes-verts. Le chef poussa le cri d'arrivée, et la troupe campa au pied des collines. On me relégua à quelque distance, au bord d'un de ces puits naturels,[3] si fameux dans les Florides. J'étais attaché au pied d'un arbre; un guerrier veillait impatiemment auprès de moi. J'avais à peine passé quelques instants dans ce lieu, qu'Atala parut sous les liquidambars[4] de la fontaine. «Chasseur, dit-elle au héros muscogulge, si tu veux poursuivre le chevreuil, je garderai »le prisonnier.» Le guerrier bondit de joie à cette parole de la fille du chef; il s'élance du sommet de la colline, et allonge ses pas dans la plaine.

»Étrange contradiction du cœur de l'homme! Moi qui avais tant désiré de dire les choses du mystère[5] à celle que j'aimais déjà comme le soleil, maintenant, interdit et confus, je crois que j'eusse préféré d'être jeté aux crocodiles de la fontaine à me trouver seul ainsi avec Atala. La fille du désert était aussi troublée que son prisonnier: nous gardions un profond silence; les génies de l'amour avaient dérobé nos paroles. Enfin Atala, faisant un effort, dit ceci; «Guerrier, vous êtes retenu bien faible-»ment, vous pouvez aisément vous échapper.» A ces mots, la hardiesse revint sur ma langue; je répondis: «Faiblement retenu, ô femme!...» Je ne sus comment achever. Atala hésita quelques moments; puis elle dit: «Sauvez-vous.» Et elle me détacha du tronc de l'arbre.

Je saisis la corde: je la remis dans la main de la fille
étrangère, en forçant ses beaux doigts à se fermer sur ma
chaîne. «Reprenez-la! reprenez-la! m'écriai-je. — Vous
»êtes un insensé, dit Atala d'une voix émue. Malheureux!
»ne sais-tu pas que tu seras brûlé? Que prétends-tu? 5
»Songes-tu bien que je suis la fille d'un redoutable sachem?
»— Il fut un temps, répliquai-je avec des larmes, que
»j'étais aussi porté dans une peau de castor,[1] aux épaules
»d'une mère. Mon père avait aussi une belle hutte, et
»ses chevreuils buvaient les eaux de mille torrents: mais 10
»j'erre maintenant sans patrie. Quand je ne serai plus,
»aucun ami ne mettra un peu d'herbe sur mon corps pour
»le garantir des mouches. Le corps d'un étranger mal-
»heureux n'intéresse personne.»

»Ces mots attendrirent Atala. Ses larmes tombèrent 15
dans la fontaine. «Ah! repris-je avec vivacité, si votre
»cœur parlait comme le mien! le désert n'est-il pas libre?
»Les forêts n'ont-elles point des replis où nous cacher?
»Faut-il donc, pour être heureux, tant de choses aux en-
»fants des cabanes? O fille plus belle que le premier 20
»songe de l'époux! ô ma bien-aimée! ose suivre mes pas.»
Telles furent mes paroles. Atala me répondit d'une voix
tendre: «Mon jeune ami, vous avez appris le langage
»des blancs; il est aisé de tromper une Indienne. —
»Quoi! m'écriai-je, vous m'appelez votre jeune ami! Ah! 25
»si un pauvre esclave. . . — Eh bien, dit-elle en se penchant
»sur moi, un pauvre esclave. . .» Je repris avec ardeur:
«Qu'un baiser l'assure de ta foi!» Atala écouta ma prière.

»Hélas! mon cher fils, la douleur touche de près au
plaisir. Qui eût pu croire que le moment où Atala me 30
donnait le premier gage de son amour serait celui-là

même où elle détruirait mes espérances? Cheveux
blanchis du vieux Chactas, quel fut votre étonnement
lorsque la fille du sachem prononça ces paroles: «Beau
»prisonnier, j'ai follement cédé à ton désir; mais où nous
5 »conduira cette passion?   Ma religion[1] me sépare de toi
»pour toujours... O ma mère! qu'as-tu fait?...» Atala
se tut tout à coup, et retint je ne sus quel fatal secret
près d'échapper à ses lèvres.   Ses paroles me plongèrent
dans le désespoir.   «Eh bien! m'écriai-je, je serai aussi
10 »cruel que vous; je ne fuirai point.   Vous me verrez
»dans le cadre de feu; vous entendrez les gémissements
»de ma chair, et vous serez pleine de joie.»   Atala saisit
mes mains entre les deux siennes.   «Pauvre jeune ido-
»lâtre! s'écria-t-elle, tu me fais réellement pitié! Tu veux
15 »donc que je pleure tout mon cœur?   Quel dommage
«que je ne puisse fuir avec toi!»

»Dans ce moment même, les crocodiles, aux approches
du coucher du soleil, commençaient à faire entendre
leurs rugissements.   Atala me dit: «Quittons ces lieux.»
20 J'entraînai la fille de Simaghan au pied des coteaux qui
formaient des golfes de verdure en avançant leurs pro-
montoires dans la savane.   Tout était calme et superbe
au désert.   La cigogne criait sur son nid; les bois re-
tentissaient du chant monotone des cailles, du sifflement
25 des perruches, du mugissement des bisons, et du hennissement des cavales siminoles.

»Notre promenade fut presque muette.   Je marchais
à côté d'Atala; elle tenait le bout de la corde, que je
l'avais forcée de reprendre.   Quelquefois nous versions
30 des pleurs,[2] quelquefois nous essayions de sourire.   Un
regard tantôt levé vers le ciel, tantôt attaché à la terre;

une oreille attentive au chant de l'oiseau, un geste vers
le soleil couchant, une main tendrement serrée, un sein
tour à tour palpitant, tour à tour tranquille; les noms de
Chactas et d'Atala doucement répétés par intervalle. . .
O première promenade de l'amour! il faut que votre sou- 5
venir soit bien puissant, puisque après tant d'années
d'infortune vous remuez encore le cœur du vieux Chactas!

»Qu'ils sont incompréhensibles les mortels agités par
les passions! Je venais d'abandonner le généreux Lopez,
je venais de m'exposer à tous les dangers pour être libre; 10
dans un instant le regard d'une femme avait changé mes
goûts, mes résolutions, mes pensées! Oubliant mon pays,
ma mère, ma cabane et la mort affreuse qui m'attendait,
j'étais devenu indifférent à tout ce qui n'était pas Atala.
Sans force pour m'élever à la raison de l'homme, j'étais 15
retombé tout à coup dans une espèce d'enfance; et, loin
de pouvoir rien faire pour me soustraire aux maux qui
m'attendaient, j'aurais eu presque besoin qu'on s'occupât
de mon sommeil et de ma nourriture.

»Ce fut donc vainement qu'après nos courses dans la 20
savane, Atala, se jetant à mes genoux, m'invita de nouveau à la quitter. Je lui protestai que je retournerais
seul au camp si elle refusait de me rattacher au pied de
mon arbre. Elle fut obligée de me satisfaire, espérant
me convaincre une autre fois. 25

»Le lendemain de cette journée, qui décida du destin
de ma vie, on s'arrêta dans une vallée, non loin de Cuscowilla,[1] capitale des Siminoles. Ces Indiens, unis aux
Muscogulges, forment avec eux la confédération des
Creeks.[2] La fille du pays des palmiers vint me trouver 30
au milieu de la nuit. Elle me conduisit dans une grande

forêt de pins, et renouvela ses prières pour m'engager à
la fuite. La nuit était délicieuse. Le génie des airs
secouait sa chevelure bleue,[1] embaumée de la senteur des
pins, et l'on respirait la faible odeur d'ambre qu'exha-
5 laient les crocodiles couchés sous les tamarins des fleuves.
La lune brillait au milieu d'un azur sans tache, et sa
lumière gris-de-perle descendait sur la cime indéterminée
des forêts. Aucun bruit ne se faisait entendre, hors je
ne sais quelle harmonie lointaine qui régnait dans la
10 profondeur des bois: on eût dit que l'âme de la solitude
soupirait dans toute l'étendue du désert.

» Nous aperçûmes à travers les arbres un jeune homme
qui, tenant à la main un flambeau, ressemblait au génie
du printemps parcourant les forêts pour ranimer la nature.
15 C'était un amant qui allait s'instruire de son sort à la
cabane de sa maîtresse.

» Si la vierge éteint le flambeau, elle accepte les vœux
offerts; si elle se voile sans l'éteindre, elle rejette un
époux.

20 » Le guerrier, en se glissant dans les ombres, chantait
à demi voix ces paroles:

« Je devancerai les pas du jour[2] sur le sommet des
» montagnes, pour chercher ma colombe solitaire parmi
» les chênes de la forêt.

25 » J'ai attaché à son cou un collier de porcelaines;[3] on
» y voit trois grains rouges pour mon amour, trois violets
» pour mes craintes, trois bleus pour mes espérances.

» Mila a les yeux d'une hermine et la chevelure légère
» d'un champ de riz; sa bouche est un coquillage rose
30 » garni de perles.

» Ah! laissez-moi devancer les pas du jour sur le som-

» met des montagnes, pour chercher ma colombe solitaire
» parmi les chênes de la forêt ! »

» Ainsi chantait ce jeune homme, dont les accents por-
tèrent le trouble jusqu'au fond de mon âme et firent
changer de visage à Atala.   Nos mains unies frémirent 5
l'une dans l'autre.   Mais nous fûmes distraits de cette
scène par une scène non moins dangereuse pour nous.

» Nous passâmes auprès du tombeau d'un enfant, qui
servait de limite à deux nations.   On l'avait placé au
bord du chemin, selon l'usage.   La mère vint ensuite 10
déposer une gerbe de maïs et des fleurs de lis blancs sur
le tombeau.   Elle s'assit sur le gazon humide, et parla à
son enfant d'une voix attendrie :

« Pourquoi te pleuré-je dans ton berceau de terre, ô
» mon nouveau-né ?   Quand le petit oiseau devient grand, 15
» il faut qu'il cherche sa nourriture, et il trouve dans le
» désert bien des graines amères.   Du moins tu as ignoré
» les pleurs ; du moins ton cœur n'a point été exposé au
» souffle dévorant des hommes.   Le bouton qui sèche
» dans son enveloppe passe avec tous ses parfums, comme 20
» toi, ô mon fils ! avec toute ton innocence.   Heureux
» ceux qui meurent au berceau ![1] ils n'ont connu que les
» baisers et les souris d'une mère. »

» Déjà subjugués par notre propre cœur, nous fûmes
accablés par ces images d'amour qui semblaient nous 25
poursuivre dans ces solitudes enchantées.   J'emportai
Atala dans mes bras au fond de la forêt, et je lui dis des
choses qu'aujourd'hui je chercherais en vain sur mes
lèvres.   Le vent du midi, mon cher fils, perd sa chaleur
en passant sur des montagnes de glace.   Les souvenirs 30
de l'amour dans le cœur d'un vieillard sont comme les

feux du jour réfléchis par l'orbe paisible de la lune,
lorsque le soleil est couché et que le silence plane sur les
huttes des sauvages.

» La fille de Simaghan eut recours au Dieu des chré-
5 tiens; elle se précipita sur la terre et prononça une fer-
vente oraison, adressée à sa mère et à la Reine des
vierges.　C'est de ce moment,[1] ô René! que j'ai conçu
une merveilleuse idée de cette religion qui, dans les forêts,
au milieu de toutes les privations de la vie, peut remplir
10 de mille dons les infortunés; de cette religion qui, oppo-
sant sa puissance au torrent des passions, suffit seule
pour les vaincre lorsque tout les favorise, et le secret des
bois, et l'absence des hommes, et la fidélité des ombres.
Ah! qu'elle me parut divine, la simple sauvage, l'igno-
15 rante Atala, qui, à genoux devant un vieux pin tombé,
comme au pied d'un autel, offrait à son Dieu des vœux
pour un amant idolâtre! Ses yeux, levés vers l'astre de la
nuit, ses joues brillantes des pleurs de la religion et de l'a-
mour, étaient d'une beauté immortelle. Plusieurs fois il me
20 sembla qu'elle allait prendre son vol vers les cieux; plusieurs fois je crus voir descendre sur les rayons de la lune
et entendre dans les branches des arbres ces génies que le
Dieu des chrétiens envoie aux ermites des rochers lorsqu'il
se dispose à les rappeler à lui. J'en fus affligé, car je craignis
25 qu'Atala n'eût que peu de temps à passer sur la terre.

» Cependant elle versa tant de larmes, elle se montra
si malheureuse, que j'allais peut-être consentir à m'éloigner, lorsque le cri de mort retentit dans la forêt.　Quatre
hommes armés se précipitent sur moi : nous avions été
30 découverts; le chef de guerre avait donné l'ordre de
nous poursuivre.

« Atala, qui ressemblait à une reine pour l'orgueil de la démarche, dédaigna de parler à ces guerriers. Elle leur lança un regard superbe, et se rendit auprès de Simaghan.

» Elle ne put rien obtenir. On redoubla mes gardes, 5 on multiplia mes chaînes, on écarta mon amante. Cinq nuits s'écoulent, et nous apercevons Apalachucla,[1] située au bord de la rivière Chata-Uche.[2] Aussitôt on me couronne de fleurs, on me peint le visage d'azur et de vermillon, on m'attache des perles au nez et aux oreilles, 10 et l'on me met à la main un chichikoué.[3]

» Ainsi paré pour le sacrifice, j'entre dans Apalachucla, aux cris répétés de la foule. C'en était fait de ma vie, quand tout à coup le bruit d'une conque se fait entendre, et le mico,[4] ou chef de la nation, ordonne de s'assembler. 15

» Tu connais, mon fils, les tourments que les sauvages font subir aux prisonniers de guerre. Les missionnaires chrétiens, au péril de leurs jours et avec une charité infatigable, étaient parvenus, chez plusieurs nations, à faire substituer un esclavage assez doux aux horreurs du 20 bûcher. Les Muscogulges n'avaient point encore adopté cette coutume ; mais un parti nombreux s'était déclaré en sa faveur. C'était pour prononcer sur cette importante affaire que le mico convoquait les sachems. On me conduit au lieu des délibérations. 25

» Non loin d'Apalachucla s'élevait, sur un tertre isolé, le pavillon du conseil. Trois cercles de colonnes formaient l'élégante architecture de cette rotonde. Les colonnes étaient de cyprès poli et sculpté ; elles augmentaient en hauteur et en épaisseur, et diminuaient en 30 nombre. à mesure qu'elles se rapprochaient du centre,

marqué par un pilier unique.   Du sommet de ce pilier
partaient des bandes d'écorce qui, passant sur le sommet
des autres colonnes, couvraient le pavillon, en forme
d'éventail à jour.[1]

5 » Le conseil s'assemble.   Cinquante vieillards, en manteau de castor, se rangent sur des espèces de gradins
faisant face à la porte du pavillon.   Le grand chef est
assis au milieu d'eux, tenant à la main le calumet de paix,
à demi coloré pour la guerre.   A la droite des vieillards
10 se placent cinquante femmes, couvertes d'une robe de
plumes de cygne.   Les chefs de guerre, le tomahawk à
la main, le pennache en tête, les bras et la poitrine teints
de sang, prennent la gauche.

» Au pied de la colonne centrale brûle le feu du conseil.
15 Le premier jongleur, environné des huit gardiens du
temple, vêtu de longs habits et portant un hibou empaillé sur la tête, verse du baume de copalme sur la
flamme et offre un sacrifice au soleil.   Ce triple rang de
vieillards, de matrones, de guerriers; ces prêtres, ces
20 nuages d'encens, ce sacrifice, tout sert à donner à ce
conseil un appareil imposant.

» J'étais debout, enchaîné, au milieu de l'assemblée.
Le sacrifice achevé, le mico, prend la parole et expose
avec simplicité l'affaire qui rassemble le conseil.   Il jette
25 un collier bleu[2] dans la salle, en témoignage de ce qu'il
vient de dire.

» Alors un sachem de la tribu de l'Aigle se lève et
parle ainsi:

« Mon père le mico, sachems, matrones, guerriers des
30 » quatre tribus de l'Aigle, du Castor, du Serpent et de la
» Tortue, ne changeons rien aux mœurs de nos aïeux;

»brûlons le prisonnier, et n'amollissons point nos cou-
»rages. C'est une coutume des blancs qu'on vous pro-
»pose; elle ne peut être que pernicieuse. Donnez un
»collier rouge qui contienne mes paroles. J'ai dit.»

» Et il jette un collier rouge dans l'assemblée.   5

» Une matrone se lève et dit:

» Mon père l'Aigle, vous avez l'esprit d'un renard et
»la prudente lenteur d'une tortue. Je veux polir avec
»vous la chaîne d'amitié, et nous planterons ensemble
»l'arbre de paix. Mais changeons les coutumes de nos   10
»aïeux en ce qu'elles ont de funeste. Ayons des esclaves
»qui cultivent nos champs, et n'entendons plus les cris
»des prisonniers, qui troublent le sein des mères. J'ai
» dit.»

» Comme on voit les flots de la mer se briser pendant 15
un orage; comme en automne les feuilles séchées sont
enlevées par un tourbillon; comme les roseaux du Meschacebé plient et se relèvent dans une inondation subite;
comme un grand troupeau de cerfs brame au fond d'une
forêt, ainsi s'agitait et murmurait le conseil. Des   20
sachems, des guerriers, des matrones, parlent tour à tour
ou tous ensemble. Les intérêts se choquent, les opinions
se divisent, le conseil va se dissoudre; mais enfin l'usage
antique l'emporte, et je suis condamné au bûcher.

» Une circonstance vint retarder mon supplice; la *Fête* 25
des morts ou le *Festin des âmes* approchait. Il est d'usage
de ne faire mourir aucun captif pendant les jours consa-
crés à cette cérémonie. On me confia à une garde sévère;
et sans doute les sachems éloignèrent la fille de Simaghan,
car je ne la revis plus.   30

» Cependant les nations de plus de trois cents lieues à

la ronde arrivaient en foule pour célébrer le *Festin des âmes*. On avait bâti une longue hutte sur un site écarté. Au jour marqué, chaque cabane exhuma les restes de ses pères de leurs tombeaux particuliers, et l'on suspendit
5 les squelettes, par ordre et par familles, aux murs de la *Salle commune des aïeux*. Les vents (une tempête s'était élevée), les forêts, les cataractes mugissaient au dehors, tandis, que les vieillards des diverses nations concluaient entre eux des traités de paix et d'alliance sur les os de
10 leurs pères.

»On célèbre les jeux funèbres, la course, la balle, les osselets.[1] Deux vierges cherchent à s'arracher une baguette de saule. Leurs mains voltigent sur la baguette, qu'elles élèvent au dessus de leurs têtes. Leurs beaux
15 pieds nus s'entrelacent, leurs bouches se rencontrent, leurs douces haleines se confondent; elles se penchent et mêlent leurs chevelures; elles regardent leurs mères, rougissent;[2] on applaudit. Le jongleur invoque Michabou, génie des eaux. Il raconte les guerres du grand
20 Lièvre[3] contre Machimanitou,[4] dieu du mal; le premier homme et Athaënsic[5] la première femme, précipités du ciel pour avoir perdu l'innocence; la terre rougie du sang fraternel; Jouskeka l'impie immolant le juste Tahouistsaron; le déluge descendant à la voix du Grand
25 Esprit; Massou sauvé seul dans son canot d'écorce, et le corbeau envoyé à la découverte de la terre; il dit encore la belle Endaé,[6] retirée de la contrée des âmes par les douces chansons de son époux.

»Après ces jeux et ces cantiques, on se prépare à
30 donner aux aïeux une éternelle sépulture.

»Sur les bords de la rivière Chata-Uche se voyait un

figuier sauvage que le culte des peuples avait consacré.
Les vierges avaient accoutumé de laver leurs robes
d'écorce dans ce lieu, et de les exposer au souffle du désert, sur les rameaux de l'arbre antique. C'était là qu'on
avait creusé un immense tombeau. On part de la salle 5
funèbre en chantant l'hymne à la mort; chaque famille
porte quelques débris sacrés. On arrive à la tombe; on
y descend les reliques; on les y étend par couches; on
les sépare avec des peaux d'ours et de castor; le mont
du tombeau s'élève, et l'on y plante l'*arbre des pleurs et* 10
du sommeil.

»Plaignons les hommes, mon cher fils! Ces mêmes
Indiens, dont les coutumes sont si touchantes, ces mêmes femmes qui m'avaient témoigné un intérêt si tendre,
demandaient maintenant mon supplice à grands cris; et 15
des nations entières retardaient leur départ pour avoir
le plaisir de voir un jeune homme souffrir des tourments
épouvantables.

»Dans une vallée au nord, à quelque distance du
grand village, s'élevait un bois de cyprès et de sapins, 20
appelé le *Bois du sang.* On y arrivait par les ruines[1]
d'un de ces monuments dont on ignore l'origine, et qui
sont l'ouvrage d'un peuple maintenant inconnu. Au
centre de ce bois s'étendait une arène, où l'on sacrifiait
les prisonniers de guerre. On m'y conduit en triomphe. 25
Tout se prépare pour ma mort: on plante le poteau
d'Areskoui; les pins, les ormes, les cyprès, tombent sous
la cognée; le bûcher s'élève; les spectateurs bâtissent
des amphithéâtres avec des branches et des troncs
d'arbres. Chacun invente un supplice: l'un se propose 30
de m'arracher la peau du crâne, l'autre de me brûler les

yeux avec des haches ardentes.   Je commence ma chan
son de mort:

» Je ne crains point les tourments: je suis brave, ô
» Muscogulges! je vous défie; je vous méprise plus que
5 » des femmes.   Mon père Outalissi, fils de Miscou, a bu
» dans le crâne de vos plus fameux guerriers; vous
» n'arracherez pas un soupir de mon cœur.»

» Provoqué par ma chanson, un guerrier me perça le
bras d'une flèche; je dis: «Frère, je te remercie.»

10 » Malgré l'activité des bourreaux, les préparatifs du
supplice ne purent être achevés avant le coucher du
soleil.   On consulta le jongleur, qui défendit de troubler
les génies des ombres; et ma mort fut encore suspendue
jusqu'au lendemain.   Mais, dans l'impatience de jouir du
15 spectacle et pour être plus tôt prêts au lever de l'aurore,
les Indiens ne quittèrent point le *Bois du sang*, ils allu-
mèrent de grands feux, et commencèrent des festins et
des danses.

» Cependant on m'avait étendu sur le dos.   Des cordes
20 partant de mon cou, de mes pieds, de mes bras, allaient
s'attacher à des piquets enfoncés en terre.   Des guerriers
étaient couchés sur ces cordes, et je ne pouvais faire un
mouvement sans qu'ils en fussent avertis.   La nuit
s'avance: les chants et les danses cessent par degrés;
25 les feux ne jettent plus que des lueurs rougeâtres, devant
lesquelles on voit encore passer les ombres de quelques
sauvages; tout s'endort; à mesure que le bruit des
hommes s'affaiblit, celui du désert augmente, au tumulte des voix succèdent les plaintes des vents dans la
30 forêt.

» Les yeux attachés au ciel, où le croissant de la lune

errait dans les nuages, je réfléchissais sur ma destinée.
Atala me semblait un monstre d'ingratitude. M'abandonner au moment du supplice, moi qui m'étais dévoué
aux flammes plutôt que de la quitter! Et pourtant je
sentais que je l'aimais toujours et que je mourrais avec 5
joie pour elle.

» Il est dans les extrêmes plaisirs un aiguillon qui nous
éveille, comme pour nous avertir de profiter de ce moment
rapide; dans les grandes douleurs, au contraire, je ne
sais quoi de pesant nous endort: des yeux fatigués par 10
les larmes cherchent naturellement à se fermer, et la
bonté de la Providence se fait ainsi remarquer jusque
dans nos infortunes. Je cédai malgré moi à ce lourd
sommeil que goûtent quelquefois les misérables. Je
rêvais qu'on m'ôtait mes chaînes; je croyais sentir ce 15
soulagement qu'on éprouve lorsque, après avoir été fortement pressé, une main secourable relâche nos fers.

» Cette sensation devint si vive, qu'elle me fit soulever
les paupières. A la clarté de la lune, dont un rayon
s'échappait entre deux nuages, j'entrevois une grande 20
figure blanche penchée sur moi et occupée à dénouer
silencieusement mes liens. J'allais pousser un cri,
lorsqu'une main, que je reconnus à l'instant, me ferma la
bouche. Une seule corde restait; mais il paraissait im-
possible de la couper sans toucher un guerrier qui la 25
couvrait tout entière de son corps. Atala y porte la
main, le guerrier s'éveille à demi et se dresse sur son séant.
Atala reste immobile et le regarde. L'Indien croit voir
l'Esprit des ruines; il se recouche en fermant les yeux et
en invoquant son Manitou. Le lien est brisé. Je me 30
lève; je suis ma libératrice, qui me tend le bout d'un

arc dont elle tient l'autre extrémité. Mais que de
dangers nous environnent ! Tantôt nous sommes près
de heurter des sauvages endormis; tantôt une garde
nous interroge, et Atala répond en changeant sa voix.
5 Les enfants poussent des cris, des dogues aboient. A
peine sommes-nous sortis de l'enceinte funeste, que des
hurlements ébranlent la forêt. Le camp se réveille, mille
feux s'allument, on voit courir de tous les côtés des
sauvages avec des flambeaux: nous précipitons notre
10 course.

» Quand l'aurore se leva sur les Apalaches,[1] nous
étions déjà loin. Quelle fut ma félicité lorsque je me
trouvai encore une fois dans la solitude avec Atala, avec
Atala, ma libératrice, avec Atala, qui se donnait à moi
15 pour toujours ! Les paroles manquèrent à ma langue;
je tombai à genoux, et je dis à la fille de Simaghan:
«Les hommes sont bien peu de chose; mais quand les
» génies les visitent, alors ils ne sont rien du tout. Vous
»êtes un génie, vous m'avez visité, et je ne puis parler
20 »devant vous.» Atala me tendit la main avec un sourire:
» Il faut bien, dit-elle, que je vous suive, puisque vous ne
»voulez pas fuir sans moi. Cette nuit, j'ai enivré vos
» bourreaux avec de l'essence de feu[2] et j'ai dû hasarder
»ma vie pour vous, puisque vous aviez donné la vôtre
25 »pour moi. Oui, jeune idolâtre, ajouta-t-elle avec un
»accent qui m'effraya, le sacrifice sera réciproque.»

» Atala me remit les armes qu'elle avait eu soin
d'apporter; ensuite elle pansa ma blessure. En l'essuyant avec une feuille de papaya,[3] elle la mouillait de
30 ses larmes. » C'est un baume, lui dis-je, que tu répands
»sur ma plaie. —Je crains plutôt que ce ne soit un poison,»

répondit-elle. Elle déchira un des voiles de son sein, dont elle fit une première compresse, qu'elle attacha avec une boucle de ses cheveux.

» L'ivresse, qui dure longtemps chez les sauvages, et qui est pour eux une espèce de maladie, les empêcha sans doute de nous poursuivre durant les premières journées. S'ils nous cherchèrent ensuite, il est probable que ce fut du côté du couchant, persuadés que nous aurions essayé de nous rendre au Meschacebé ; mais nous avions pris notre route vers l'étoile immobile,[1] en nous dirigeant sur la mousse du tronc des arbres.

» Nous ne tardâmes pas à nous apercevoir que nous avions peu gagné à ma délivrance. Le désert déroulait maintenant devant nous ses solitudes démesurées. Sans expérience de la vie des forêts, détournés de notre vrai chemin et marchant à l'aventure, qu'allions-nous devenir? Souvent, en regardant Atala, je me rappelais cette antique histoire d'Agar,[2] que Lopez m'avait fait lire, et qui est arrivée dans le désert de Bersabée il y a longtemps, alors que les hommes vivaient trois âges de chêne.

» Atala me fit un manteau avec la seconde écorce du frêne, car j'étais presque nu. Elle me broda des mocassins de peau de rat musqué, avec du poil de porc-épic. Je prenais soin à mon tour de sa parure. Tantôt je lui mettais sur la tête une couronne de ces mauves bleues que nous trouvions sur notre route dans des cimetières indiens abandonnés; tantôt je lui faisais des colliers avec des grains rouge d'azalea; et puis je me prenais à sourire en contemplant sa merveilleuse beauté.

» Quand nous rencontrions un fleuve, nous le passions sur un radeau ou à la nage. Atala appuyait une de ses mains sur mon épaule, et, comme deux cygnes voyageurs, nous traversions ces ondes solitaires.

»Souvent, dans les grandes chaleurs du jour, nous cherchions un abri sous les mousses des cèdres. Presque
5 tous les arbres de la Floride, en particulier le cèdre et le chêne-vert, sont couverts d'une mousse blanche qui descend de leurs rameaux jusqu'à terre. Quand la nuit, au clair de la lune, vous apercevez, sur la nudité d'une savane, une yeuse[1] isolée revêtue de cette draperie, vous
10 croiriez voir un fantôme traînant après lui ses longs voiles. La scène n'est pas moins pittoresque au grand jour; car une foule de papillons, de mouches brillantes, de colibris,[2] de perruches vertes, de geais d'azur, vient s'accrocher à ces mousses, qui produisent alors l'effet
15 d'une tapisserie en laine blanche, où l'ouvrier européen aurait brodé des insectes et des oiseaux éclatants.

»C'était dans ces riantes hôtelleries, préparées par le Grand Esprit, que nous nous reposions à l'ombre. Lorsque les vents descendaient du ciel pour balancer ce
20 grand cèdre, que le château aérien bâti sur ses branches allait flottant avec les oiseaux et les voyageurs endormis sous ses abris, que mille soupirs sortaient des corridors et des voûtes du mobile édifice, jamais les merveilles de l'ancien monde n'ont approché de ce monument du désert.
25 »Chaque soir nous allumions un grand feu, et nous bâtissions la hutte de voyage avec une écorce élevée sur quatre piquets. Si j'avais tué une dinde[3] sauvage, un ramier, un faisan des bois, nous le suspendions, devant le chêne embrasé, au bout d'une gaule plantée en terre,
30 et nous abandonnions au vent le soin de tourner la proie du chasseur. Nous mangions des mousses appelées *tripes*

de roches,[1] des écorces sucrées de bouleau, et des pommes de mai,[2] qui ont le goût de la pêche et de la framboise. Le noyer noir, l'érable, le sumac, fournissaient le vin à notre table. Quelquefois j'allais chercher, parmi les roseaux, une plante dont la fleur allongée en cornet con- 5 tenait un verre de la plus pure rosée. Nous bénissions la Providence, qui, sur la faible tige d'une fleur, avait placé cette source limpide au milieu des marais corrompus, comme elle a mis l'espérance au fond des cœurs ulcérés par le chagrin, comme elle a fait jaillir la vertu 10 du sein des misères de la vie!

» Hélas! je découvris bientôt que je m'étais trompé sur le calme apparent d'Atala. A mesure que nous avancions, elle devenait triste. Souvent elle tressaillait sans cause et tournait précipitamment la tête. Je la sur- 15 prenais attachant sur moi un regard passionné, qu'elle reportait vers le ciel avec une profonde mélancolie. Ce qui m'effrayait surtout était un secret, une pensée cachée au fond de son âme, que j'entrevoyais dans ses yeux. Toujours m'attirant et me repoussant, ranimant et dé- 20 truisant mes espérances, quand je croyais avoir fait un peu de chemin dans son cœur, je me retrouvais au même point. Que de fois elle m'a dit: «O mon jeune amant! »je t'aime comme l'ombre des bois au milieu du jour! Tu »es beau comme le désert avec toutes ses fleurs et toutes 25 »ses brises. Si je me penche sur toi, je frémis; si ma »main touche la tienne, il me semble que je vais mourir. »L'autre jour, le vent jeta tes cheveux sur mon visage, je »crus sentir le léger toucher des esprits invisibles. Oui, »j'ai vu les chevrettes de la montagne d'Occone;[8] j'ai 30 »entendu les propos des hommes rassasiés de jours; mais

»la douceur des chevreaux et la sagesse des vieillards sont
»moins plaisantes et moins fortes que tes paroles.   Eh
»bien, pauvre Chactas, je ne serai jamais ton épouse!»

»Les perpétuelles contradictions de l'amour et de la
5 religion d'Atala, l'abandon de sa tendresse et la chasteté
de ses mœurs, la fierté de son caractère et sa profonde
sensibilité, l'élévation de son âme dans les grandes choses,
sa susceptibilité dans les petites, tout en faisait pour moi
un être incompréhensible.   Atala ne pouvait pas prendre
10 sur un homme un faible empire: pleine de passion, elle
était pleine de puissance; il fallait ou l'adorer ou la haïr.

»Après quinze nuits d'une marche précipitée, nous entrâmes dans la chaîne des monts Alléghanys, et nous
atteignîmes une des branches du Tenase, fleuve qui se
15 jette dans l'Ohio.   Aidé des conseils d'Atala, je bâtis un
canot, que j'enduisis de gomme de prunier, après en avoir
recousu les écorces avec des racines de sapin.   Ensuite
je m'embarquai avec Atala, et nous nous abandonnâmes
au cours du fleuve.

20 »Le village indien de Sticoë, avec ses tombes pyra-
midales et ses huttes en ruine, se montrait à notre gauche,
au détour d'un promontoire; nous laissions à notre droite
la vallée de Keow,[1] terminée par la perspective des cabanes de Jore,[2] suspendues au front de la montagne du
25 même nom.   Le fleuve qui nous entraînait coulait entre
de hautes falaises, au bout desquelles on apercevait le
soleil couchant.   Ces profondes solitudes n'étaient point
troublées par la présence de l'homme.   Nous ne vîmes
qu'un chasseur indien qui, appuyé sur son arc et immo-
30 bile sur la pointe d'un rocher, ressemblait à une statue
élevée dans la montagne au génie de ces déserts.

» Atala et moi nous joignions notre silence au silence
de cette scène.   Tout à coup la fille de l'exil fit éclater
dans les airs une voix pleine d'émotion et de mélancolie;
elle chantait la patrie absente:

« Heureux ceux qui n'ont point vu la fumée des fêtes 5
» de l'étranger et qui ne se sont assis qu'aux festins de
» leurs pères!

» Si le geai bleu du Meschacebé disait à la nonpareille
» des Florides: Pourquoi vous plaignez-vous si tristement?
» n'avez-vous pas ici de belles eaux et de beaux ombrages, 10
» et toutes sortes de pâtures comme dans vos forêts?—
» Oui, répondrait la nonpareille fugitive; mais mon nid
» est dans le jasmin: qui me l'apportera?   Et le soleil de
» ma savane, l'avez-vous?

» Heureux ceux qui n'ont point vu la fumée des fêtes 15
» de l'étranger et qui ne se sont assis qu'aux festins de
» leurs pères!

» Après les heures d'une marche pénible, le voyageur
» s'assied tristement.   Il contemple autour de lui les toits
» des hommes; le voyageur n'a pas un lieu où reposer sa 20
» tête.   Le voyageur frappe à la cabane, il met son arc
» derrière la porte, il demande l'hospitalité; le maître fait
» un geste de la main; le voyageur reprend son arc et re-
» tourne au désert!

» Heureux ceux qui n'ont point vu la fumée des fêtes de 25
» l'étranger et qui ne se sont assis qu'aux festins de leurs
» pères!

» Merveilleuses histoires racontées autour du foyer,
» tendres épanchements du cœur, longues habitudes
» d'aimer si nécessaires à la vie, vous avez rempli les 30
» journées de ceux qui n'ont point quitté leur pays natal!

»Leurs tombeaux sont dans leur patrie, avec le soleil
»couchant, les pleurs de leurs amis, et les charmes de la
»religion.

»Heureux ceux qui n'ont point vu la fumée des fêtes
5 »de l'étranger et qui ne se sont assis qu'aux festins de
»leurs pères!»

«Ainsi chantait Atala.   Rien n'interrompait ses plaintes, hors le bruit insensible de notre canot sur les ondes.
En deux ou trois endroits seulement elles furent recueillies
10 par un faible écho, qui les redit à un second plus faible,
et celui-ci à un troisième plus faible encore: on eût cru
que les âmes de deux amants, jadis infortunés comme
nous, attirées par cette mélodie touchante, se plaisaient
à en soupirer les derniers sons dans la montagne.

15 »Cependant la solitude, la présence continuelle de
l'objet aimé, mes malheurs mêmes, redoublaient à chaque
instant notre amour.   Atala priait continuellement sa
mère, dont elle avait l'air de vouloir apaiser l'ombre
irritée.   Quelquefois elle me demandait si je n'entendais
20 pas une voix plaintive, si je ne voyais pas des flammes
sortir de la terre.   Pour moi, épuisé de fatigue, songeant
que j'étais peut-être perdu sans retour au milieu de ces
forêts, cent fois je fus prêt à saisir mon épouse dans mes
bras, cent fois je lui proposai de bâtir une hutte sur ces
25 rivages et de nous y ensevelir ensemble.   Mais elle me
résista toujours: «Songe, me disait-elle, mon jeune ami,
»qu'un guerrier se doit à sa patrie.   Qu'est-ce qu'une
»femme auprès des devoirs que tu as à remplir ?   Prends
»courage, fils d'Outalissi; ne murmure point contre ta
30 »destinée.   Le cœur de l'homme est comme l'éponge du
»fleuve, qui tantôt boit une onde pure dans les temps de

»sérénité, tantôt s'enfle d'une eau bourbeuse quand le
»ciel a troublé les eaux.   L'éponge a-t-elle le droit de
»dire: Je croyais qu'il n'y aurait jamais d'orages, que le
»soleil ne serait jamais brûlant?

»O René! si tu crains les troubles du cœur, défie-toi de 5
la solitude: les grandes passions sont solitaires, et les
transporter au désert, c'est les rendre à leur empire.
Accablés de soucis et de craintes; exposés à tomber
entre les mains des Indiens ennemis, à être engloutis
dans les eaux, piqués des serpents, dévorés des bêtes; 10
trouvant difficilement une chétive nourriture et ne
sachant plus de quel côté tourner nos pas, nos maux
semblaient ne pouvoir plus s'accroître, lorsqu'un acci-
dent y vint mettre le comble.

»C'était le vingt-septième soleil depuis notre départ 15
des cabanes: la *lune de feu*[1] avait commencé son cours,
et tout annonçait un orage.   Vers l'heure où les matrones
indiennes suspendent la crosse du labour aux branches
du savinier et où les perruches se retirent dans le creux
des cyprès, le ciel commença à se couvrir.   Les voix de 20
la solitude s'éteignirent, le désert fit silence, et les forêts
demeurèrent dans un calme universel.   Bientôt les roule-
ments d'un tonnerre lointain, se prolongeant dans ces
bois aussi vieux que le monde, en firent sortir des bruits
sublimes.   Craignant d'être submergés, nous nous hâ- 25
tâmes de gagner le bord du fleuve et de nous retirer
dans une forêt.

«Ce lieu était un terrain marécageux.   Nous avancions avec peine sous une voûte de smilax, parmi des
ceps de vigne, des indigos, des faséoles, des lianes 30
rampantes, qui entravaient nos pieds comme des filets.

Le sol spongieux tremblait autour de nous, et à chaque instant nous étions près d'être engloutis dans des fondrières. Des insectes sans nombre, d'énormes chauves-souris nous aveuglaient; les serpents à sonnettes[1] bruis-
5 saient de toutes parts; et les loups, les ours, les carcajous,[2] les petits tigres, qui venaient se cacher dans ces retraites, les remplissaient de leurs rugissements.

»Cependant l'obscurité redouble: les nuages abaissés entrent sous l'ombrage des bois, la nue se déchire, et
10 l'éclair trace un rapide losange de feu. Un vent impétueux, sorti du couchant, roule les nuages sur les nuages; les forêts plient; le ciel s'ouvre coup sur coup, et à travers ses crevasses on aperçoit de nouveaux cieux et des campagnes ardentes. Quel affreux, quel magnifi-
15 que spectacle! La foudre met le feu[3] dans les bois; l'incendie s'étend comme une chevelure de flammes; des colonnes d'étincelles et de fumée assiègent les nues, qui vomissent leurs foudres dans le vaste embrasement. Alors le Grand Esprit couvre les montagnes d'épaisses
20 ténèbres; du milieu de ce vaste chaos s'élève un mugissement confus formé par le fracas des vents, le gémissement des arbres, le hurlement des bêtes féroces, le bourdonnement de l'incendie et la chute répétée du tonnerre, qui siffle en s'éteignant dans les eaux.

25 »Le Grand Esprit le sait: dans ce moment je ne vis qu'Atala, je ne pensai qu'à elle. Sous le tronc penché d'un bouleau, je parvins à la garantir des torrents de la pluie.

»Nous prêtions l'oreille au bruit de la tempête; tout à coup je sentis une larme d'Atala tomber sur mon sein:
30 «Orage du cœur, m'écriai-je, est-ce une goutte de votre »pluie?» Puis, embrassant étroitement celle que j'aimais:

»Atala, lui dis-je, vous me cachez quelque chose. Ouvre-
»moi ton cœur, ô ma beauté! cela fait tant de bien,
»quand un ami regarde dans notre âme! Raconte-moi
»cet autre secret de la douleur, que tu t'obstines à taire.
»Ah! je le vois, tu pleures la patrie.» Elle repartit aus- 5
sitôt: «Enfant des hommes, comment pleurerais-je ma
»patrie, puisque mon père n'était pas du pays des pal-
»miers?—Quoi! répliquai-je avec un profond étonnement,
»votre père n'était point du pays des palmiers! Quel
»est donc celui qui vous a mise sur cette terre? Répon- 10
dez.» Atala dit ces paroles:

    «Avant que ma mère eût apporté en mariage au guer-
»rier Simaghan trente esclaves, vingt buffles, cent mesures
»d'huile de gland, cinquante peaux de castor et beaucoup
»d'autres richesses, elle avait connu un homme de la chair 15
»blanche. Or, la mère de ma mère lui jeta de l'eau au
»visage[1] et la contraignit d'épouser le magnanime Sima-
»ghan, tout semblable à un roi et honoré des peuples
»comme un génie. Ma mère me fit chrétienne, afin que
»son Dieu et le Dieu de mon père fût aussi mon Dieu. 20
»Ensuite le chagrin d'amour vint la chercher, et elle des-
»cendit dans la petite cave garnie de peaux d'où l'on ne
»sort jamais.[2]»

    »Telle fut l'histoire d'Atala. «Et quel était donc ton
»père, pauvre orpheline? lui dis-je; comment les hommes 25
»l'appelaient-ils sur la terre, et quel nom portait-il parmi
»les génies?—Je n'ai jamais lavé les pieds de mon père,
»dit Atala; je sais seulement qu'il vivait avec sa sœur à
»Saint-Augustin, et qu'il a toujours été fidèle à ma mère:
»*Philippe* était son nom parmi les anges, et les hommes 30
»le nommaient *Lopez.*»

» A ces mots je poussai un cri qui retentit dans toute
la solitude; le bruit de mes transports se mêla au bruit
de l'orage.   Serrant Atala sur mon cœur, je m'écriai avec
des sanglots: «O ma sœur! ô fille de Lopez! fille de mon
5 » bienfaiteur!»   Atala, effrayée, me demanda d'où venait
mon trouble; mais quand elle sut que Lopez était cet
hôte généreux qui m'avait adopté à Saint-Augustin et
que j'avais quitté pour être libre, elle fut saisie elle-même
de confusion et de joie.

10   » Tout à coup un impétueux éclair, suivi d'un éclat de
la foudre, sillonne l'épaisseur des ombres, remplit la forêt
de soufre et de lumière et brise un arbre à nos pieds.
Nous fuyons.   O surprise! . . . dans le silence qui suc-
cède, nous entendons le son d'une cloche!   Tous deux
15 interdits, nous prêtons l'oreille à ce bruit, si étrange dans
un désert.   A l'instant un chien aboie[1] dans le lointain;
il approche, il redouble ses cris, il hurle de joie à nos
pieds; un vieux solitaire, portant une petite lanterne, le
suit à travers les ténèbres de la forêt.   «La Providence
20 » soit bénie! s'écria-t-il aussitôt qu'il nous aperçut.   Il y
» a bien longtemps que je vous cherche!   Notre chien vous
» a sentis dès le commencement de l'orage, et il m'a con-
» duit ici.   Bon Dieu! comme ils sont jeunes!   Pauvres
» enfants! comme ils ont dû souffrir!   Allons: j'ai apporté
25 » une peau d'ours, ce sera pour cette jeune femme; voici
» un peu de vin dans notre calebasse.   Que Dieu soit
» loué dans toutes ses œuvres! sa miséricorde est bien
» grande, et sa bonté est infinie!»

   » Atala était aux pieds du religieux: «Chef de la prière,
30 » lui disait-elle, je suis chrétienne; c'est le ciel qui t'envoie
» pour me sauver. — Ma fille, dit l'ermite en la relevant,

»nous sonnons ordinairement la cloche de la Mission
»pendant les tempêtes, pour appeler les étrangers; et, à
»l'exemple de nos frères des Alpes et du Liban,[1] nous
»avons appris à notre chien à découvrir les voyageurs
égarés.» Pour moi, je comprenais à peine l'ermite; cette 5
charité me semblait si fort au-dessus de l'homme, que je
croyais faire un songe. A la lueur de la petite lanterne
que tenait le religieux, j'entrevoyais sa barbe et ses
cheveux tout trempés d'eau; ses pieds, ses mains et son
visage étaient ensanglantés par les ronces. «Vieillard, 10
»m'écriai-je enfin, quel cœur as-tu donc, toi qui n'as pas
»craint d'être frappé de la foudre?—Craindre! repartit
»le père avec une sorte de chaleur; craindre lorsqu'il y a
»des hommes en péril et que je leur puis être utile! je
»serais donc un bien indigne serviteur de Jésus-Christ!— 15
»Mais sais-tu, lui dis-je, que je ne suis pas chrétien!—
»Jeune homme, répondit l'ermite, vous ai-je demandé
»votre religion? Jésus-Christ n'a pas dit: Mon sang
»lavera celui-ci, et non celui-là. Il est mort pour le Juif
»et le Gentil, et il n'a vu dans tous les hommes que des 20
»frères et des infortunés. Ce que je fais ici pour vous
»est fort peu de chose, et vous trouveriez ailleurs bien
»d'autres secours; mais la gloire n'en doit point retomber
»sur les prêtres. Que sommes-nous, faibles solitaires,
»sinon de grossiers instruments d'une œuvre céleste? 25
» Eh! quel serait le soldat assez lâche pour reculer, lorsque
»son chef, la croix à la main et le front couronné d'épines,
»marche devant lui au secours des hommes?»

Ces paroles saisirent mon cœur; des larmes d'admira-
tion et de tendresse tombèrent de mes yeux. » Mes chers 30
»enfants, dit le missionnaire, je gouverne dans ces forêts

»un petit troupeau de vos frères sauvages. Ma grotte
» est assez près d'ici dans la montagne; venez vous ré-
» chauffer chez moi, vous n'y trouverez pas les commodités
» de la vie, mais vous y trouverez un abri; et il faut en-
5 » core en remercier la bonté divine, car il y a bien des
» hommes qui en manquent.»

LES LABOUREURS

«Il y a des justes dont la conscience est si tranquille,
qu'on ne peut approcher d'eux sans participer à la paix
10 qui s'exhale, pour ainsi dire, de leur cœur et de leurs discours. A mesure que le solitaire parlait, je sentais les
passions s'apaiser dans mon sein, et l'orage même du ciel
semblait s'éloigner à sa voix. Les nuages furent bientôt
assez dispersés pour nous permettre de quitter notre re-
15 traite. Nous sortîmes de la forêt, et nous commençâmes
à gravir le revers d'une haute montagne. Le chien marchait devant nous en portant au bout d'un bâton la lanterne éteinte. Je tenais la main d'Atala, et nous suivions
le missionnaire. Il se détournait souvent pour nous
20 regarder, contemplant avec pitié nos malheurs et notre
jeunesse. Un livre était suspendu à son cou; il s'appuyait
sur un bâton blanc. Sa taille était élevée; sa figure
pâle et maigre, sa physionomie simple et sincère. Il
n'avait pas les traits morts et effacés de l'homme né sans
25 passions; on voyait que ses jours avaient été mauvais,
et les rides de son front montraient les belles cicatrices
des passions guéries par la vertu et par l'amour de Dieu
et des hommes. Quand il nous parlait debout et immobile, sa longue barbe, ses yeux modestement baissés, le

son affectueux de sa voix, tout en lui avait quelque chose
de calme et de sublime. Quiconque a vu, comme moi,
le père Aubry cheminant seul avec son bâton et son
bréviaire dans le désert, a une véritable idée du voyageur
chrétien sur la terre. 5

» Après une demi-heure d'une marche dangereuse par
les sentiers de la montagne, nous arrivâmes à la grotte
du missionnaire. Nous y entrâmes à travers les lierres et
les giraumonts humides, que la pluie avait abattus
des rochers. Il n'y avait dans ce lieu qu'une natte de 10
feuilles de papaya, une calebasse pour puiser de l'eau,
quelques vases de bois, une bêche, un serpent familier;
et, sur une pierre qui servait de table, un crucifix et le
livre des chrétiens.

» L'homme des anciens jours se hâta d'allumer du feu 15
avec des lianes sèches; il brisa du maïs entre deux
pierres, et, en ayant fait un gâteau, il le mit cuire sous la
cendre. Quand ce gâteau eut pris au feu une belle
couleur dorée, il nous le servit tout brûlant, avec de la
crème de noix dans un vase d'érable. Le soir ayant 20
ramené la sérénité, le serviteur du Grand Esprit nous
proposa d'aller nous asseoir à l'entrée de la grotte.
Nous le suivîmes dans ce lieu, qui commandait une vue
immense. Les restes de l'orage étaient jetés en désordre
vers l'orient; les feux de l'incendie allumé dans les forêts 25
par la foudre brillaient encore dans le lointain; au pied
de la montagne, un bois de pins tout entier était renversé
dans la vase, et le fleuve roulait pêle-mêle les corps des
animaux et les poissons morts, dont on voyait le ventre
argenté flotter à la surface des eaux. 30

» Ce fut au milieu de cette scène qu'Atala raconta

notre histoire au vieux génie de la montagne.   Son cœur
parut touché, et des larmes tombèrent sur sa barbe:
»Mon enfant, dit-il à Atala, il faut offrir vos souffrances
»à Dieu, pour la gloire de qui vous avez fait tant de
5 »choses; il vous rendra le repos.   Voyez fumer ces
»forêts, sécher ces torrents, se dissiper ces nuages:
»croyez-vous que celui qui peut calmer une pareille tem-
»pête ne pourra pas apaiser les troubles du cœur de
»l'homme?   Si vous n'avez pas de meilleure retraite, ma
10 »chère fille, je vous offre une place au milieu du troupeau
»que j'ai eu le bonheur d'appeler à Jésus-Christ.   J'in-
»struirai Chactas, et je vous le donnerai pour époux
»quand il sera digne de l'être.»

»A ces mots, je tombai aux genoux du solitaire en
15 versant des pleurs de joie; mais Atala devint pâle
comme la mort.   Le vieillard me releva avec bénignité,
et je m'aperçus alors qu'il avait les deux mains mutilées.
Atala comprit sur-le-champ ses malheurs.   «Les bar-
»bares!» s'écria-t-elle.

20 »Ma fille, reprit le père avec un doux sourire, qu'est-ce
»que cela auprès de ce qu'a enduré mon divin Maître?
»Si les Indiens idolâtres m'ont affligé, ce sont de pauvres
»aveugles que Dieu éclairera un jour.   Je les chéris
»même davantage, en proportion des maux qu'ils m'ont
25 »faits.   Je ne n'ai pu rester dans ma patrie, où j'étais
»retourné, et où une illustre reine m'a fait l'honneur de
»vouloir contempler ces faibles marques de mon apos-
»tolat.   Et quelle récompense plus glorieuse pouvais-je
»recevoir de mes travaux, que d'avoir obtenu du chef de
30 »notre religion[1] la permission de célébrer le divin sacri-
»fice avec ces mains mutilées?   Il ne me restait plus,

»après un tel honneur, qu'à tâcher de m'en rendre digne:
»je suis revenu au Nouveau-Monde consumer le reste de
»ma vie au service de mon Dieu. Il y a bientôt trente-
»ans que j'habite cette solitude, et il y en aura demain
»vingt-deux que j'ai pris possession de ce rocher. Quand 5
»j'arrivai dans ces lieux, je n'y trouvai que des familles
»vagabondes, dont les mœurs étaient féroces et la vie
»fort misérable. Je leur ai fait entendre la parole de
»paix, et leurs mœurs se sont graduellement adoucies.
»Ils vivent maintenant rassemblés au bas de cette mon- 10
»tagne. J'ai tâché, en leur enseignant les voies du salut,
»de leur apprendre les premiers arts de la vie, mais sans
»les porter trop loin, et en retenant ces honnêtes gens
»dans une simplicité qui fait le bonheur. Pour moi,
»craignant de les gêner par ma présence, je me suis 15
»retiré sous cette grotte, où ils viennent me consulter.
»C'est ici que, loin des hommes, j'admire Dieu dans la
»grandeur de ces solitudes, et que je me prépare à la
»mort, que m'annoncent mes vieux jours.»

»En achevant ces mots, le solitaire se mit à genoux, et 20
nous imitâmes son exemple. Il commença à haute voix
une prière, à laquelle Atala répondait. De muets éclairs
ouvraient encore les cieux dans l'orient, et sur les nuages
du couchant trois soleils brillaient ensemble. Quelques
renards dispersés par l'orage allongeaient leurs museaux 25
noirs au bord des précipices, et l'on entendait le fré-
missement des plantes, qui, séchant à la brise du soir,
relevaient de toutes parts leurs tiges abattues.

»Nous rentrâmes dans la grotte, où l'ermite étendit un
lit de mousse de cyprès pour Atala. Une profonde 30
langueur se peignait dans les yeux et dans les mouve-

ments de cette vierge; elle regardait le père Aubry,
comme si elle eût voulu lui communiquer un secret; mais
quelque chose semblait la retenir, soit ma présence, soit
une certaine honte, soit l'inutilité de l'aveu. Je l'entendis
5 se lever au milieu de la nuit; elle cherchait le solitaire:
mais, comme il lui avait donné sa couche, il était allé
contempler la beauté du ciel et prier Dieu sur le sommet
de la montagne. Il me dit le lendemain que c'était assez
sa coutume, même pendant l'hiver, aimant à voir les
10 forêts balancer leurs cimes dépouillées, les nuages voler
dans les cieux, et à entendre les vents et les torrents
gronder dans la solitude. Ma sœur fut donc obligée de
retourner à sa couche, où elle s'assoupit. Hélas! comblé
d'espérance, je ne vis dans la faiblesse d'Atala que des
15 marques passagères de lassitude.

» Le lendemain, je m'éveillai aux chants des cardinaux
et des oiseaux-moqueurs, nichés dans les acacias et les
lauriers qui environnaient la grotte. J'allai cueillir une
rose de magnolia, et je la déposai, humectée des larmes
20 du matin, sur la tête d'Atala endormie. Je cherchai
ensuite mon hôte; je le trouvai la robe relevée dans ses
deux poches, un chapelet à la main, et m'attendant assis
sur le tronc d'un pin tombé de vieillesse. Il me proposa
d'aller avec lui à la Mission, tandis qu'Atala reposait en-
25 core; j'acceptai son offre, et nous nous mîmes en route à
l'instant.

» En descendant la montagne, j'aperçus des chênes où
les génies semblaient avoir dessiné des caractères
étrangers. L'ermite me dit qu'il les avait tracés lui-
30 même; que c'étaient des vers d'un ancien poëte appelé
Homère, et quelques sentences d'un autre poëte plus

ancien encore, nommé *Salomon*. Il y avait je ne sais
quelle mystérieuse harmonie entre cette sagesse des
temps, ces vers rongés de mousse, ce vieux solitaire qui
les avait gravés, et ces vieux chênes qui lui servaient de
livres. 5

»Son nom, son âge, la date de sa mission, étaient aussi
marqués sur un roseau de savane, au pied de ces arbres.
Je m'étonnai de la fragilité du dernier monument: «il
»durera encore plus que moi, me répondit le père, et
»aura toujours plus de valeur que le peu de bien que j'ai 10
fait.»

»De là nous arrivâmes à l'entrée d'une vallée, où je
vis un ouvrage merveilleux: c'était un pont naturel,
semblable à celui de la Virginie,¹ dont tu as peut-être
entendu parler. Les hommes, mon fils, surtout ceux de 15
ton pays, imitent souvent la nature, et leurs copies sont
toujours petites; il n'en est pas ainsi de la nature quand
elle a l'air d'imiter les travaux des hommes en leur offrant
en effet des modèles. C'est alors qu'elle jette des ponts
du sommet d'une montagne au sommet d'une autre 20
montagne, suspend des chemins dans les nues, répand
des fleuves pour canaux, sculpte des monts pour colonnes,
et pour bassins creuse des mers.

»Nous passâmes sous l'arche unique de ce pont, et
nous nous trouvâmes devant une autre merveille: c'était 25
le cimetière des Indiens de la Mission, ou les *Bocages de
la mort*. Le père Aubry avait permis à ses néophytes
d'ensevelir leurs morts à leur manière, et de conserver
au lieu de leurs sépultures son nom sauvage; il avait
seulement sanctifié ce lieu par une croix.* Le sol en 30

---

* Le père Aubry avait fait comme les jésuites à la Chine, qui

était divisé, comme le champ commun des moissons, en
autant de lots qu'il y avait de familles. Chaque lot
faisait à lui seul un bois, qui variait selon le goût de
ceux qui l'avaient planté. Un ruisseau serpentait sans
5 bruit au milieu de ces bocages; on l'appelait le *Ruisseau
de la paix*. Ce riant asile des âmes était fermé à l'orient
par le pont sous lequel nous avions passé; deux collines
le bornaient au septentrion et au midi; il ne s'ouvrait
qu'à l'occident, où s'élevait un grand bois de sapins.
10 Les troncs de ces arbres, rouges, marbrés de vert, mon-
tant sans branches jusqu'à leurs cimes, ressemblaient à
de hautes colonnes et formaient le péristyle de ce temple
de la mort; il y régnait un bruit religieux, semblable au
sourd mugissement de l'orgue sous les voûtes d'une église;
15 mais, lorsqu'on pénétrait au fond du sanctuaire, on
n'entendait plus que les hymnes des oiseaux, qui célé-
braient à la mémoire des morts une fête éternelle.

» En sortant de ce bois, nous découvrîmes le village de
la Mission, situé au bord d'un lac, au milieu d'une savane
20 semée de fleurs. On y arrivait par une avenue de magnolias et de chênes-verts, qui bordaient une de ces an-
ciennes routes que l'on trouve vers les montagnes qui
divisent le Kentucky des Florides. Aussitôt que les
Indiens aperçurent leur pasteur dans la plaine, ils aban-
25 donnèrent leurs travaux et accoururent au-devant de lui.
Les uns baisaient sa robe, les autres aidaient ses pas;
les mères élevaient dans leurs bras leurs petits enfants,
pour leur faire voir l'homme de Jésus-Christ, qui répan-
dait des larmes. Il s'informait en marchant de ce qui se

---

permettaient aux Chinois d'enterrer leurs parents dans leurs jardins,
selon leur ancienne coutume.

passait au village; il donnait un conseil à celui-ci, répri-
mandait doucement celui-là; il parlait des moissons à
recueillir, des enfants à instruire, des peines à consoler;
et il mêlait Dieu à tous ses discours.

» Ainsi escortés, nous arrivâmes au pied d'une grande 5
croix qui se trouvait sur le chemin.   C'était là que le
serviteur de Dieu avait accoutumé de célébrer les mystères de sa religion: « Mes chers néophytes, dit-il en se
» tournant vers la foule, il vous est arrivé un frère et une
» sœur; et, pour surcroît de bonheur, je vois que la divine 10
» Providence a épargné hier vos moissons: voilà deux
» grandes raisons de la remercier.   Offrons donc le saint
» sacrifice, et que chacun y apporte un recueillement pro-
» fond, une foi vive, une reconnaissance infinie et un cœur
» humilié. »   15

» Aussitôt le prêtre divin revêt une tunique blanche
d'écorce de mûrier; les vases sacrés[1] sont tirés d'un
tabernacle au pied de la croix, l'autel se prépare sur un
quartier de roche, l'eau se puise dans le torrent voisin, et
une grappe de raisin sauvage fournit le vin du sacrifice. 20
Nous nous mettons tous à genoux dans les hautes herbes;
le mystère commence.

» L'aurore, paraissant derrière les montagnes, enflam-
mait l'orient.   Tout était d'or ou de rose dans la solitude.
L'astre annoncé par tant de splendeur sortit enfin d'un 25
abîme de lumière, et son premier rayon rencontra l'hostie
consacrée, que le prêtre en ce moment même élevait dans
les airs.   O charme de la religion! ô magnificence du
culte chrétien!   Pour sacrificateur un vieil ermite, pour
autel un rocher, pour église le désert, pour assistance 30
d'innocents sauvages!   Non, je ne doute point qu'au

moment où nous nous prosternâmes le grand mystère[1] ne
s'accomplît et que Dieu ne descendît sur la terre, car je
le sentis descendre dans mon cœur.

   » Après le sacrifice, où il ne manqua pour moi que la
5 fille de Lopez, nous nous rendîmes au village.   Là régnait
le mélange le plus touchant de la vie sociale et de la vie
de la nature: au coin d'une cyprière de l'antique désert,
on découvrait une culture naissante; les épis roulaient à
flots d'or sur le tronc du chêne abattu, et la gerbe d'un
10 été remplaçait l'arbre de trois siècles.   Partout on voyait
les forêts livrées aux flammes pousser de grosses fumées
dans les airs, et la charrue se promener lentement entre
les débris de leurs racines.   Des arpenteurs avec de
longues chaînes allaient mesurant le terrain; des arbitres
15 établissaient les premières propriétés; l'oiseau cédait son
nid; le repaire de la bête féroce se changeait en une
cabane; on entendait gronder des forges, et les coups de
la cognée faisaient pour la dernière fois mugir des échos,
expirant eux-mêmes avec les arbres qui leur servaient
20 d'asile.

   » J'errais avec ravissement au milieu de ces tableaux,
rendus plus doux par l'image d'Atala et par les rêves de
félicité dont je berçais mon cœur.   J'admirais le triomphe
du christianisme sur la vie sauvage; je voyais l'Indien se
25 civilisant à la voix de la religion; j'assistais aux noces
primitives de l'homme et de la terre: l'homme, par ce
grand contrat, abandonnant à la terre l'héritage de ses
sueurs; et la terre s'engageant en retour à porter fidèlement les moissons, les fils et les cendres de l'homme.

30   » Cependant on présenta un enfant au missionnaire,
qui le baptisa parmi des jasmins en fleur, au bord d'une

source, tandis qu'un cercueil, au milieu des jeux et des
travaux, se rendait aux Bocages de la mort.   Deux époux
reçurent la bénédiction nuptiale sous un chêne, et nous
allâmes ensuite les établir dans un coin du désert.   Le
pasteur marchait devant nous, bénissant çà et là, et le 5
rocher, et l'arbre, et la fontaine, comme autrefois, selon
le livre des chrétiens, Dieu bénit la terre inculte en la
donnant en héritage à Adam.   Cette procession, qui,
pêle-mêle avec ses troupeaux, suivait de rocher en rocher
son chef vénérable, représentait à mon cœur attendri ces 10
migrations des premières familles, alors que Sem,[1] avec
ses enfants, s'avançait à travers le monde inconnu, en
suivant le soleil qui marchait devant lui.

»Je voulus savoir du saint ermite comment il gouver-
nait ses enfants; il me répondit avec une grande com- 15
plaisance: «Je ne leur ai donné aucune loi; je leur ai
»seulement enseigné à s'aimer, à prier Dieu et à espérer
»une meilleure vie: toutes les lois du monde sont là-
»dedans.   Vous voyez au milieu du village une cabane
»plus grande que les autres: elle sert de chapelle dans la 20
»saison des pluies.   On s'y assemble soir et matin pour
»louer le Seigneur, et, quand je suis absent, c'est un vieil-
»lard qui fait la prière, car la vieillesse est, comme la
»maternité, une espèce de sacerdoce.   Ensuite on va tra-
»vailler dans les champs; et, si les propriétés sont divisées, 25
»afin que chacun puisse apprendre l'économie sociale, les
»moissons sont déposées dans des greniers communs,
»pour maintenir la charité fraternelle.   Quatre vieillards
»distribuent avec égalité le produit du labeur.   Ajoutez
»à cela des cérémonies religieuses, beaucoup de cantiques, 30
»la croix où j'ai célébré les mystères, l'ormeau sous lequel

»je prêche dans les bons jours, nos tombeaux tout près
»de nos champs de blé, nos fleuves où je plonge les petits
»enfants et les saints Jeans de cette nouvelle Béthanie,[1]
»vous aurez une idée complète de ce royaume de Jésus
5 »Christ.»

»Les paroles du solitaire me ravirent, et je sentis la
supériorité de cette vie stable et occupée, sur la vie er-
rante et oisive du sauvage.

»Ah! René, je ne murmure point contre la Providence,
10 mais j'avoue que je ne me rappelle jamais cette société
évangélique sans éprouver l'amertume des regrets. Qu'une
hutte, avec Atala, sur ces bords, eût rendu ma vie heureuse! Là finissaient toutes mes courses; là, avec une
épouse, inconnu des hommes, cachant mon bonheur au
15 fond des forêts, j'aurais passé comme ces fleuves qui
n'ont pas même un nom dans le désert. Au lieu de cette
paix que j'osais alors me promettre, dans quel trouble
n'ai-je point coulé mes jours! Jouet continuel de la fortune,[2] brisé sur tous les rivages, longtemps exilé de mon
20 pays, et n'y trouvant, à mon retour, qu'une cabane en
ruine et des amis dans la tombe: telle devait être la
destinée de Chactas.»

LE DRAME

«Si mon songe de bonheur fut vif, il fut aussi d'une
courte durée, et le réveil m'attendait à la grotte du soli-
25 taire. Je fus surpris, en y arrivant au milieu du jour, de
ne pas voir Atala accourir au-devant de nos pas. Je ne
sais quelle soudaine horreur me saisit. En approchant

de la grotte je n'osais appeler la fille de Lopez; mon
imagination était également épouvantée ou du bruit ou
du silence qui succéderait à mes cris. Encore plus effrayé
de la nuit qui régnait à l'entrée du rocher, je dis au
missionnaire: «O vous que le ciel accompagne et fortifie, 5
»pénétrez dans ces ombres.»

»Qu'il est faible celui que les passions dominent! Qu'il
est fort celui qui se repose en Dieu!   Il y avait plus de
courage dans ce cœur religieux, flétri par soixante-seize
années, que dans toute l'ardeur de ma jeunesse. L'homme 10
de paix entra dans la grotte, et je restai au dehors, plein
de terreur.   Bientôt un faible murmure semblable à des
plaintes sortit du fond du rocher et vint frapper mon
oreille.   Poussant un cri et retrouvant mes forces, je
m'élançai dans la nuit de la caverne . . . Esprits de mes 15
pères, vous savez seuls le spectacle qui frappa mes yeux!

»Le solitaire avait allumé un flambeau de pin; il le
tenait d'une main tremblante au-dessus de la couche
d'Atala.   Cette belle et jeune femme, à moitié soulevée
sur le coude, se montrait pâle et échevelée.   Les gouttes 20
d'une sueur pénible brillaient sur son front; ses regards
à demi éteints cherchaient encore à m'exprimer son
amour, et sa bouche essayait de sourire.   Frappé comme
d'un coup de foudre, les yeux fixés, les bras étendus, les
lèvres entr'ouvertes, je demeurai immobile.   Un profond 25
silence règne un moment parmi les trois personnages de
cette scène de douleur.   Le solitaire le rompt le premier:
«Ceci, dit-il, ne sera[1] qu'une fièvre occasionnée par la
»fatigue; et, si nous nous résignons à la volonté de Dieu,
»il aura pitié de nous.»   30

»A ces paroles, le sang suspendu reprit son cours dans

mon cœur, et, avec la mobilité du sauvage, je passai
subitement de l'excès de la crainte à l'excès de la confiance. Mais Atala ne m'y laissa pas longtemps. Balançant tristement la tête, elle nous fit signe de nous ap-
5 procher de sa couche.

» Mon père, dit-elle d'une voix affaiblie en s'adressant
»au religieux, je touche au moment de la mort. O
»Chactas! écoute sans désespoir le funeste secret que je
»t'ai caché pour ne pas te rendre trop misérable et pour
10 »obéir à ma mère. Tâche de ne pas m'interrompre par
»des marques d'une douleur qui précipiterait le peu
»d'instants que j'ai à vivre. J'ai beaucoup de choses à
»raconter, et, aux battements de ce cœur, qui se ralen-
»tissent . . . à je ne sais quel fardeau glacé que mon sein
15 »soulève à peine . . . je sens que je ne me saurais trop
»hâter.»

» Après quelques moments de silence, Atala poursuivit
ainsi :

»Ma triste destinée a commencé presque avant que
20 »j'eusse vu la lumière. On désespéra de ma vie. Pour
»sauver mes jours, ma mère fit un vœu: elle promit à la
»Reine des Anges[1] que je me consacrerais à elle si j'échap-
»pais à la mort . . . Vœu fatal qui me précipite au tom-
»beau![2]

25 » J'entrais dans ma seizième année lorsque je perdis
»ma mère. Quelques heures avant de mourir, elle
»m'appela au bord de sa couche. «Ma fille, me dit-elle
»en présence d'un missionnaire qui consolait ses derniers
»instants ; ma fille, tu sais le vœu que j'ai fait pour toi.
30 »Voudrais-tu démentir ta mère? O mon Atala! je te
»laisse dans un monde qui n'est pas digne de posséder

»une chrétienne, au milieu d'idolâtres qui persécutent le
»Dieu de ton père et le mien, le Dieu qui, après t'avoir
»donné le jour, te l'a conservé par un miracle. Eh! ma
»chère enfant, en acceptant le voile des vierges, tu ne fais
»que renoncer aux soucis de la cabane et aux funestes 5
»passions qui ont troublé le sein de ta mère! Viens donc,
»ma bien-aimée, viens; jure sur cette image de la Mère du
»Sauveur, entre les mains de ce saint prêtre et de ta
»mère expirante, que tu ne me trahiras point à la face
»du ciel. Songe que je me suis engagée pour toi, afin 10
»de te sauver la vie, si tu ne tiens ma promesse, tu
»plongeras l'âme de ta mère dans des tourments éternels.»

»O ma mère! pourquoi parlâtes-vous ainsi? O religion
»qui fais à la fois mes maux et ma félicité, qui me perds
»et qui me consoles! Et toi, cher et triste objet d'une 15
»passion qui me consume jusque dans les bras de la mort,
»tu vois maintenant, ô Chactas! ce qui a fait la rigueur
»de notre destinée! ... Fondant en pleurs et me précipi-
»tant dans le sein maternel, je promis tout ce qu'on me
»voulut faire promettre. Le missionnaire prononça 20
»sur moi les paroles redoutables et me donna le scapu-
»laire qui me lie pour jamais. Ma mère me menaça de
»sa malédiction si jamais je rompais mes vœux; et, après
»m'avoir recommandé un secret inviolable envers les
»païens, persécuteurs de ma religion, elle expira en me 25
»tenant embrassée.

»Je ne connus pas d'abord le danger de mes serments.
»Pleine d'ardeur et chrétienne véritable, fière du sang es-
»pagnol qui coule dans mes veines, je n'aperçus autour
»de moi que des hommes indignes de recevoir ma main; 30
»je m'applaudis de n'avoir d'autre époux que le Dieu de

»ma mère.   Je te vis, jeune et beau prisonnier, je m'at
»tendris sur ton sort, je t'osai parler au bûcher de la
»forêt; alors je sentis tout le poids de mes vœux.»

   «Comme Atala achevait de prononcer ces paroles, ser-
5 rant les poings et regardant le missionnaire d'un air
menaçant, je m'écriai; «La voilà donc cette religion que
»vous m'avez tant vantée! Périsse le serment qui m'en-
»lève Atala! périsse le Dieu qui contrarie la nature
»Homme-prêtre, qu'es-tu venu faire dans ces forêts?

10   »—Te sauver, dit le vieillard d'une voix terrible,
»dompter tes passions, et t'empêcher, blasphémateur,
»d'attirer sur toi la colère céleste! Il te sied bien, jeune
»homme, à peine entré dans la vie, de te plaindre de tes
»douleurs!   Où sont les marques de tes souffrances?   Où
15 »sont les injustices que tu as supportées?   Où sont tes
»vertus, qui seules pourraient te donner quelques droits
»à la plainte?   Quel service as-tu rendu?   Quel bien as-
»tu fait?   Eh! malheureux, tu ne m'offres que des pas-
»sions, et tu oses accuser le ciel!   Quand tu auras,
20 »comme le père Aubry, passé trente années exilé sur les
»montagnes, tu seras moins prompt à juger des desseins
»de la Providence; tu comprendras alors que tu ne sais
»rien, que tu n'es rien, et qu'il n'y a point de châtiment
»si rigoureux, point de maux si terribles, que la chair
25 »corrompue ne mérite de souffrir.»

   »Les éclairs qui sortaient des yeux du vieillard, sa
barbe qui frappait sa poitrine, ses paroles foudroyantes,
le rendaient semblable à un dieu.   Accablé de sa majesté, je tombai à ses genoux et lui demandai pardon de
30 mes emportements.   «Mon fils, me répondit-il avec un
»accent si doux, que le remords entra dans mon âme;

»mon fils, ce n'est pas pour moi-même que je vous ai ré-
»primandé. Hélas! vous avez raison, mon cher enfant:
»je suis venu faire bien peu de chose dans ces forêts, et
»Dieu n'a pas de serviteur plus indigne que moi. Mais,
»mon fils, le ciel, le ciel, voilà ce qu'il ne faut jamais 5
»accuser! Pardonnez-moi si je vous ai offensé; mais
»écoutons votre sœur. Il y a peut-être du remède; ne
»nous lassons point d'espérer, Chactas, c'est une religion
»bien divine que celle-là qui a fait une vertu de l'espé-
»rance! 10

»—Mon jeune ami, reprit Atala, tu as été témoin de
»mes combats, et cependant tu n'en as vu que la moindre
»partie; je te cachais le reste. Non, l'esclave noir qui
»arrose de ses sueurs les sables ardents de la Floride est
»moins misérable que n'a été Atala. Te sollicitant à la 15
»fuite, et pourtant certaine de mourir si tu t'éloignais de
»moi; craignant de fuir avec toi dans les déserts, et ce-
»pendant haletant après l'ombrage des bois. . . Ah! s'il
»n'avait fallu que quitter parents, amis, patrie! si même
»(chose affreuse!) il n'y eût eu que la perte de mon âme! 20
»mais ton ombre, ô ma mère! ton ombre était toujours
»là, me reprochant ses tourments! J'entendais tes plaintes,
»je voyais les flammes de l'enfer te consumer. Mes nuits
»étaient arides et pleines de fantômes, mes jours étaient
»désolés; la rosée du soir séchait en tombant sur ma 25
»peau brûlante; j'entr'ouvrais mes lèvres aux brises, et
»les brises, loin de m'apporter la fraîcheur, s'embrasaient
»du feu de mon souffle. Quel tourment de te voir sans
»cesse auprès de moi, loin de tous les hommes, dans de
»profondes solitudes, et de sentir entre toi et moi une 30
»barrière invincible! Passer ma vie à tes pieds, te servir

»comme ton esclave, apprêter ton repas et la couche
»dans quelque coin ignoré de l'univers, eût été pour moi
»le bonheur suprême; ce bonheur, j'y touchais, et je ne
»pouvais en jouir. Quel dessein n'ai-je point rêvé! Quel
5 »songe n'est point sorti de ce cœur si triste! Quelquefois,
»en attachant mes yeux sur toi, j'allais jusqu'à former
»des désirs aussi insensés que coupables: tantôt j'aurais
»voulu être avec toi la seule créature vivante sur la terre;
»tantôt, sentant une divinité qui m'arrêtait dans mes
10 »horribles transports, j'aurais désiré que cette divinité
»se fût anéantie, pourvu que, serrée dans tes bras, j'eusse
»roulé d'abîme en abîme avec les débris de Dieu et du
»monde! A présent même . . . le dirai-je? à présent que
»l'éternité va m'engloutir, que je vais paraître devant le
15 »Juge inexorable, par une affreuse contradiction, j'em-
»porte le regret de n'avoir pas été à toi.

»—Ma fille, interrompit le missionnaire, votre douleur
»vous égare. Cet excès de passion auquel vous vous
»livrez est rarement juste, il n'est pas même dans la
20 »nature; et en cela il est moins coupable aux yeux de
»Dieu, parce que c'est plutôt quelque chose de faux dans
»l'esprit que de vicieux dans le cœur. Il faut donc
»éloigner de vous ces emportements, qui ne sont pas
»dignes de votre innocence. Mais aussi, ma chère en-
25 »fant, votre imagination impétueuse vous a trop alarmée
»sur vos vœux. La religion n'exige point de sacrifice
»plus qu'humain. Ses sentiments vrais, ses vertus tem-
»pérées, sont bien au-dessus des sentiments exaltés et
»des vertus forcées d'un prétendu héroïsme. Si vous
30 »aviez succombé, eh bien, pauvre brebis égarée, le bon
»Pasteur vous aurait cherchée pour vous ramener au

»troupeau.   Les trésors du repentir vous étaient ouverts:
»il faut des torrents de sang pour effacer nos fautes aux
»yeux des hommes; une seule larme suffit à Dieu.[1]   Ras-
»surez-vous donc, ma chère fille, votre situation exige du
»calme; adressons-nous à Dieu, qui guérit toutes les 5
»plaies de ses serviteurs.   Si c'est sa volonté, comme je
»l'espère, que vous échappiez[2]à cette maladie, j'écrirai à
»l'évêque de Québec;[3] il a les pouvoirs nécessaires pour
»vous relever de vos vœux, qui ne sont que des vœux
»simples, et vous achèverez vos jours près de moi, avec 10
»Chactas votre époux.»

    »A ces paroles du vieillard, Atala fut saisie d'une
longue convulsion, dont elle ne sortit que pour donner
des marques d'une douleur effrayante.   «Quoi! dit-elle
»en joignant les deux mains avec passion, il y avait du 15
»remède?   Je pouvais être relevée de mes vœux?—Oui,
»ma fille, et vous le pouvez encore.—Il est trop tard, il
»est trop tard! s'écria-t-elle.   Faut-il mourir au moment
»où j'apprends que j'aurais pu être heureuse!   Que n'ai-je
»connu plus tôt ce saint vieillard!   Aujourd'hui, de quel 20
»bonheur je jouirais avec toi . . . avec Chactas chrétien
». . . consolée, rassurée par ce prêtre auguste . . . dans ce
»désert . . . pour toujours. . . Oh! c'eût été trop de féli-
»cité!—Calme-toi, lui dis-je en saisissant une des mains
»de l'infortunée; calme-toi: ce bonheur, nous allons le 25
»goûter.—Jamais! jamais! dit Atala.—Comment? re-
»partis-je.—Tu ne sais pas tout! s'écria la vierge: c'est
»hier . . . pendant l'orage. . . J'allais violer mes vœux;
»j'allais plonger ma mère dans les flammes de l'abîme;
»déjà sa malédiction était sur moi, déjà je mentais au 30
»Dieu qui m'a sauvé la vie. . . Quand tu baisais mes

»lèvres tremblantes, tu ne savais pas que tu n'embrassais
»que la mort!—O ciel? s'écria le missionnaire; chère
»enfant, qu'avez-vous fait?—Un crime, mon père, dit
»Atala les yeux égarés: mais je ne perdais que moi et je
5 »sauvais ma mère. — Achève donc, m'écriai-je plein
»d'épouvante.— Eh bien, dit-elle, j'avais prévu ma fai-
»blesse: en quittant les cabanes, j'ai emporté avec moi . . .
»—Quoi! repris-je avec horreur.—Un poison! dit le
»père.—Il est dans mon sein!» s'écria Atala.

10 »Le flambeau échappe de la main du solitaire, je tombe
mourant près de la fille de Lopez; le vieillard nous saisit
l'un et l'autre dans ses bras, et tous trois, dans l'ombre,
nous mêlons un moment nos sanglots sur cette couche
funèbre.

15 »Réveillons-nous, réveillons-nous! dit bientôt le cou-
»rageux ermite en allumant une lampe. Nous perdons
»des moments précieux: intrépides chrétiens, bravons
»les assauts de l'adversité: la corde au cou, la cendre
»sur la tête, jetons-nous aux pieds du Très-Haut, pour
20 »implorer sa clémence, pour nous soumettre à ses décrets.
»Peut-être est-il temps encore. Ma fille, vous eussiez dû
»m'avertir hier au soir.

»—Hélas! mon père, dit Atala, je vous ai cherché la
»nuit dernière; mais le ciel, en punition de mes fautes,
25 »vous a éloigné de moi. Tout secours eût d'ailleurs été
»inutile; car les Indiens mêmes, si habiles dans ce qui
»regarde les poisons, ne connaissent point de remède à
»celui que j'ai pris. O Chactas! juge de mon étonne-
»ment quand j'ai vu que le coup n'était pas aussi subit
30 »que je m'y attendais! Mon amour a redoublé mes
»forces, mon âme n'a pu se séparer si vite de toi.»

»Ce ne fut plus ici par des sanglots que je troublai le récit d'Atala, ce fut par ces emportements qui ne sont connus que des sauvages. Je me roulai furieux sur la terre en me tordant les bras et en me dévorant les mains.[1] Le vieux prêtre, avec une tendresse merveilleuse, courait du frère à la sœur et nous prodiguait mille secours. Dans le calme de son cœur et sous le fardeau des ans, il savait se faire entendre à notre jeunesse, et sa religion lui fournissait des accents plus tendres et plus brûlants que nos passions mêmes. Ce prêtre, qui depuis quarante années s'immolait chaque jour au service de Dieu et des hommes dans ces montagnes, ne te rappelle-t-il pas ces holocaustes d'Israël, fumant perpétuellement sur les hauts lieux devant le Seigneur?

»Hélas! ce fut en vain qu'il essaya d'apporter quelque remède aux maux d'Atala. La fatigue, le chagrin, le poison, et une passion plus mortelle que tous les poisons ensemble, se réunissaient pour ravir cette fleur à la solitude. Vers le soir, des symptômes effrayants se manifestèrent; un engourdissement général saisit les membres d'Atala, et les extrémités de son corps commencèrent à refroidir: «Touche mes doigts, me disait-elle; ne les »trouves-tu pas bien glacés?» Je ne savais que répondre et mes cheveux se hérissaient d'horreur; ensuite elle ajoutait: «Hier encore, mon bien-aimé, ton seul toucher »me faisait tressaillir; et voilà que je ne sens plus ta »main, je n'entends presque plus ta voix; les objets de »la grotte disparaissent tour à tour. Ne sont-ce pas les »oiseaux qui chantent? Le soleil doit être près de se »coucher maintenant? Chactas, ses rayons seront bien »beaux au désert sur ma tombe!»

»Atala, s'apercevant que ces paroles nous faisaient
fondre en pleurs, nous dit: «Pardonnez-moi, mes bons
»amis; je suis bien faible, mais peut-être que je vais
»devenir plus forte.   Cependant mourir si jeune,[1] tout à
5 »la fois, quand mon cœur était si plein de vie!   Chef de
»la prière, aie pitié de moi; soutiens-moi.   Crois-tu que
»ma mère soit contente et que Dieu me pardonne ce que
»j'ai fait?»

»Ma fille, répondit le bon religieux en versant des
10 »larmes et les essuyant avec ses doigts tremblants et
»mutilés; ma fille, tous vos malheurs viennent de votre
»ignorance; c'est votre éducation sauvage et le manque
»d'instruction nécessaire qui vous ont perdue; vous ne
»saviez pas qu'une chrétienne ne peut disposer de sa vie.
15 »Consolez-vous donc, ma chère brebis; Dieu vous par-
»donnera, à cause de la simplicité de votre cœur.   Votre
»mère et l'imprudent missionnaire qui la dirigeait ont
»été plus coupables que vous; ils ont passé leurs pouvoirs
»en vous arrachant un vœu indiscret; mais que la paix
20 »du Seigneur soit avec eux!   Vous offrez tous trois un
»terrible exemple des dangers de l'enthousiasme et du
»défaut de lumières en matière de religion.   Rassurez-
»vous, mon enfant; celui qui sonde les reins et les cœurs
»vous jugera sur vos intentions, qui étaient pures, et non
25 »sur votre action, qui est condamnable.

»Quant à la vie,[2] si le moment est arrivé de vous en-
»dormir dans le Seigneur, ah! ma chère enfant, que vous
»perdez peu de chose en perdant ce monde!   Malgré la
»solitude où vous avez vécu, vous avez connu les cha-
30 »grins; que penseriez-vous donc si vous eussiez été témoin
»des maux de la société? si, en abordant sur les rivages

»de l'Europe, votre oreille eût été frappée de ce long cri
»de douleur[1] qui s'élève de cette vieille terre? L'habi-
»tant de la cabane[2] et celui des palais, tout souffre, tout
»gémit ici-bas; les reines ont été vues pleurant comme
»de simples femmes, et l'on s'est étonné de la quantité 5
»de larmes que contiennent les yeux des rois![3]

»Est-ce votre amour que vous regrettez? Ma fille, il
»faudrait autant pleurer un songe. Connaissez-vous le
»cœur de l'homme, et pourriez-vous compter les incon-
»stances de son désir? Vous calculeriez plutôt le nombre 10
»des vagues que la mer roule dans une tempête. Atala,
»les sacrifices, les bienfaits, ne sont pas des liens éternels:
»un jour peut-être le dégoût fût venu avec la satiété, le
»passé eût été compté pour rien, et l'on n'eût plus aperçu
»que les inconvénients d'une union pauvre et méprisée. 15
»Sans doute, ma fille, les plus belles amours furent celles
»de cet homme et de cette femme sortis de la main du
»Créateur. Un paradis avait été formé pour eux, ils
»étaient innocents et immortels. Parfaits de l'âme et du
»corps, ils se convenaient en tout; Ève avait été créée 20
»pour Adam, et Adam pour Ève. S'ils n'ont pu toutefois
»se maintenir dans cet état de bonheur, quels couples le
»pourront après eux? Je ne vous parlerai point des
»mariages des premiers-nés des hommes, de ces unions
»ineffables, alors que la sœur était l'épouse du frère, que 25
»l'amour et l'amitié fraternelle se confondaient dans le
»même cœur, et que la pureté de l'une augmentait les
»délices de l'autre. Toutes ces unions ont été troublées;
»la jalousie s'est glissée à l'autel de gazon où l'on immo-
»lait le chevreau, elle a régné sous la tente d'Abraham, 30
»et dans ces couches mêmes où les patriarches goûtaient

»tant de joie, qu'ils oubliaient la mort de leurs mères.

   »Vous seriez-vous donc flattée, mon enfant, d'être
»plus innocente et plus heureuse dans vos liens que ces
»saintes familles dont Jésus-Christ a voulu descendre?
5 »Je vous épargne les détails des soucis du ménage, les
»disputes, les reproches mutuels, les inquiétudes et
»toutes ces peines secrètes qui veillent sur l'oreiller du
»lit conjugal. La femme renouvelle ses douleurs chaque
»fois qu'elle est mère, et elle se marie en pleurant. Que
10 »de maux dans la seule perte d'un nouveau-né à qui l'on
»donnait le lait et qui meurt sur votre sein! La mon-
»tagne a été pleine de gémissements; rien ne pouvait
»consoler Rachel,[1] parce que ses fils n'étaient plus. Ces
»amertumes attachées aux tendresses humaines sont si
15 »fortes, que j'ai vu dans ma patrie de grandes dames,
»aimées par des rois, quitter la cour pour s'ensevelir
»dans des cloîtres et mutiler cette chair révoltée, dont
»les plaisirs ne sont que des douleurs.

   »Mais peut-être direz-vous que ces derniers exemples
20 »ne vous regardent pas; que toute votre ambition se
»réduisait à vivre dans une obscure cabane avec l'hom-
»me de votre choix; que vous cherchiez moins les dou-
»ceurs du mariage que les charmes de cette folie que la
»jeunesse appelle *amour?* Illusion, chimère, vanité,
25 »rêves d'une imagination blessée! Et moi aussi, ma
»fille, j'ai connu les troubles du cœur; cette tête n'a pas
»toujours été chauve, ni ce sein aussi tranquille qu'il
»vous le paraît aujourd'hui. Croyez-en mon expérience:
»si l'homme, constant dans ses affections, pouvait sans
30 »cesse fournir à un sentiment renouvelé sans cesse, sans
»doute la solitude et l'amour l'égaleraient à Dieu même;

» car ce sont là les deux éternels plaisirs du grand Être.
» Mais l'âme de l'homme se fatigue, et jamais elle n'aime
» longtemps le même objet avec plénitude.   Il y a tou-
» jours quelques points par où deux cœurs ne se touchent
» pas, et ces points suffisent à la longue pour rendre la   5
» vie insupportable.

» Enfin, ma chère fille, le grand tort des hommes, dans
» leur songe de bonheur, est d'oublier cette infirmité de
» la mort attachée à leur nature: il faut finir.   Tôt ou
» tard, quelle qu'eût été votre félicité, ce beau visage se   10
» fût changé en cette figure uniforme que le sépulcre
» donne à la famille d'Adam; l'œil même de Chactas
» n'aurait pu vous reconnaître entre vos sœurs de la
» tombe.   L'amour n'étend point son empire sur les vers
» du cercueil.   Que dis-je? (ô vanité des vanités!) que   15
» parlé-je de la puissance des amitiés de la terre! Voulez-
» vous, ma chère fille, en connaître l'étendue?   Si un
» homme revenait à la lumière quelques années après sa
» mort, je doute qu'il fût revu avec joie par ceux-là mê-
» mes qui ont donné le plus de larmes à sa mémoire: 20
» tant on forme vite d'autres liaisons, tant on prend fa-
» cilement d'autres habitudes, tant l'inconstance est na-
» turelle à l'homme, tant notre vie est peu de chose,
» même dans le cœur de nos amis!

» Remerciez donc la bonté divine, ma chère fille, qui   25
» vous retire si vite de cette vallée de misère.   Déjà le
» vêtement blanc et la couronne éclatante des vierges se
» préparent pour vous sur les nuées; déjà j'entends la
» Reine des anges qui vous crie: Venez, ma digne ser-
» vante; venez, ma colombe; venez vous asseoir sur un   30
» trône de candeur, parmi toutes ces filles qui ont sacri-

»fié leur beauté et leur jeunesse au service de l'humanité,
»à l'éducation des enfants et aux chefs-d'œuvre de la
»pénitence.   Venez, rose mystique,[1] vous reposer sur le
»sein de Jésus-Christ.   Ce cercueil, lit nuptial que vous
5 »vous êtes choisi, ne sera point trompé; et les embras-
»sements de votre céleste époux ne finiront jamais!»

»Comme le dernier rayon du jour abat les vents et
répand le calme dans le ciel, ainsi la parole tranquille
du vieillard apaisa les passions dans le sein de mon
10 amante.   Elle ne parut plus occupée que de ma douleur
et des moyens de me faire supporter sa perte.   Tantôt
elle me disait qu'elle mourrait heureuse si je lui promet-
tais de sécher mes pleurs; tantôt elle me parlait de
ma mère, de ma patrie; elle cherchait à me distraire
15 de la douleur présente en réveillant en moi une douleur passée.   Elle m'exhortait à la patience à la vertu.
«Tu ne seras pas toujours malheureux, disait-elle; si
»le ciel t'éprouve aujourd'hui, c'est seulement pour te
»rendre plus compatissant aux maux des autres.   Le
20 »cœur, ô Chactas![2] est comme ces sortes d'arbres qui ne
»donnent leur baume pour les blessures des hommes que
»lorsque le fer les a blessés eux-mêmes.»

»Quand elle avait ainsi parlé elle se tournait vers le
missionnaire, cherchait auprès de lui le soulagement
25 qu'elle m'avait fait éprouver; et, tour à tour consolante
et consolée, elle donnait et recevait la parole de vie sur
la couche de la mort.

»Cependant l'ermite redoublait de zèle.   Ses vieux os
s'étaient ranimés par l'ardeur de la charité, et, toujours
30 préparant des remèdes, rallumant le feu, rafraîchissant ia
couche, il faisait d'admirables discours sur Dieu et sur le

bonheur des justes. Le flambeau de la religion à la main,
il semblait précéder Atala dans la tombe pour lui en
montrer les secrètes merveilles. L'humble grotte était
remplie de la grandeur de ce trépas chrétien, et les esprits
célestes étaient sans doute attentifs à cette scène, où la 5
religion luttait seule contre l'amour, la jeunesse et la mort.

» Elle triomphait, cette religion divine et l'on s'apercevait de sa victoire à une sainte tristesse qui succédait
dans nos cœurs aux premiers transports des passions.
Vers le milieu de la nuit, Atala sembla se ranimer pour 10
répéter des prières que le religieux prononçait au bord
de sa couche. Peu de temps après elle me tendit la
main, et, avec une voix qu'on entendait à peine, elle me
dit: «Fils d'Outalissi, te rappelles-tu cette première nuit
» où tu me pris pour la Vierge des dernières amours? 15
» Singulier présage de notre destinée!» Elle s'arrêta,
puis elle reprit: «Quand je songe que je te quitte pour
» toujours, mon cœur fait un tel effort pour revivre, que
» je me sens presque le pouvoir de me rendre immortelle
» à force d'aimer. Mais, ô mon Dieu! que votre volonté 20
» soit faite!» Atala se tut pendant quelques instants;
elle ajouta: «Il ne me reste plus qu'à vous demander
» pardon des maux que je vous ai causés. Je vous ai
» beaucoup tourmenté par mon orgueil et mes caprices.
» Chactas, un peu de terre jetée sur mon corps va mettre 25
» tout un monde entre vous et moi et vous délivrer pour
» toujours du poids de mes infortunes.

» — Vous pardonner! répondis-je noyé de larmes:
» n'est-ce pas moi qui ai causé tous vos malheurs? —
«Mon ami, dit-elle en m'interrompant, vous m'avez 30
» rendue très heureuse; et, si j'étais à recommencer la

» vie, je préférerais encore le bonheur de vous avoir
» aimé quelques instants dans un exil infortuné, à toute
» une vie de repos dans ma patrie. »

» Ici la voix d'Atala s'éteignit; les ombres de la mort
5 se répandirent autour de ses yeux et de sa bouche; ses
doigts errants cherchaient à toucher quelque chose; elle
conversait tout bas avec des esprits invisibles. Bientôt,
faisant un effort, elle essaya, mais en vain, de détacher
de son cou le petit crucifix; elle me pria de le dénouer
10 moi-même, et elle me dit:

«Quand je te parlai pour la première fois, tu vis cette
» croix briller à la lueur du feu sur mon sein; c'est le
» seul bien que possède Atala. Lopez, ton père et le
» mien, l'envoya à ma mère peu de jours après ma nais-
15 » sance. Reçois donc de moi cet héritage, ô mon frère!
» conserve-le en mémoire de mes malheurs. Tu auras
» recours à ce Dieu des infortunés, dans les chagrins de
» ta vie. Chactas, j'ai une dernière prière à te faire.
» Ami, notre union aurait été courte sur la terre; mais il
20 » est après cette vie une plus longue vie. Qu'il serait
» affreux d'être séparée de toi pour jamais! Je ne fais
» que te devancer aujourd'hui et je te vais attendre dans
» l'empire céleste. Si tu m'as aimée, fais-toi instruire
» dans la religion chrétienne, qui préparera notre ré-
25 » union. Elle fait sous tes yeux un grand miracle, cette
» religion, puisqu'elle me rend capable de te quitter sans
» mourir dans les angoisses du désespoir. Cependant,
» Chactas, je ne veux de toi qu'une simple promesse; je
» sais trop ce qu'il en coûte pour te demander un ser-
30 » ment. Peut-être ce vœu te séparerait-il de quelque
» femme plus heureuse que moi... O ma mère! pardonne à

»ta fille. O Vierge! retenez votre courroux. Je retombe
»dans mes faiblesses, et je te dérobe, ô mon Dieu! des
»pensées qui ne devraient être que pour toi.»

Navré de douleur, je promis à Atala d'embrasser un
jour la religion chrétienne. A ce spectacle, le solitaire 5
se levant d'un air inspiré et étendant les bras vers la
voûte de la grotte: «Il est temps, s'écria-t-il, il est
»temps d'appeler Dieu ici!»

»A peine a-t-il prononcé ces mots, qu'une force sur-
naturelle me contraint de tomber à genoux, et m'incline la 10
tête au pied du lit d'Atala. Le prêtre ouvre un lieu secret
où était renfermée une urne d'or, couverte d'un voile de
soie; il se prosterne, et adore profondément. La grotte
parut soudain illuminée; on entendit dans les airs les paroles des anges et les frémissements des harpes célestes; et 15
lorsque le solitaire tira le vase sacré de son tabernacle, je
crus voir Dieu lui-même sortir du flanc de la montagne.

»Le prêtre ouvrit le calice;[1] il prit entre ses deux
doigts une hostie blanche comme la neige, et s'approcha d'Atala en prononçant des mots mystérieux. 20
Cette sainte avait les yeux levés au ciel, en extase.
Toutes ses douleurs parurent suspendues, toute sa vie
se rassembla sur sa bouche; ses lèvres s'entr'ouvrirent
et vinrent avec respect chercher le Dieu caché sous le
pain mystique. Ensuite le divin vieillard trempe un peu 25
de coton dans une huile consacrée; il en frotte les
tempes d'Atala; il regarde un moment la fille mourante,
et tout à coup ces fortes paroles lui échappent: «Partez,
âme chrétienne, allez rejoindre votre Créateur!» Relevant alors ma tête abattue, je m'écriai en regardant le 30
vase où était l'huile sainte:

«Mon père, ce remède rendra-t-il la vie à Atala?—
«Oui, mon fils, dit le vieillard en tombant dans mes bras,
»la vie éternelle!» Atala venait d'expirer.

Dans cet endroit, pour la seconde fois depuis le com-
5 mencement de son récit, Chactas fut obligé de s'interrompre. Ses pleurs l'inondaient, et sa voix ne laissait
échapper que des mots entrecoupés. Le sachem aveugle
ouvrit son sein; il en tira le crucifix d'Atala. «Le voilà,
s'écria-t-il, ce gage de l'adversité! O René! ô mon fils!
10 tu le vois, et moi, je ne le vois plus! Dis-moi, après tant
d'années, l'or n'en est-il point altéré? N'y vois-tu point
la trace de mes larmes? Pourrais-tu reconnaître l'endroit qu'une sainte a touché de ses lèvres? Comment
Chactas n'est-il point encore chrétien? Quelles frivoles
15 raisons de politique et de patrie l'ont jusqu'à présent
retenu dans les erreurs de ses pères? Non, je ne veux
pas tarder plus longtemps. La terre me crie: Quand
donc descendras-tu dans la tombe? et qu'attends-tu pour
embrasser une religion divine? . . . O terre! vous ne
20 m'attendrez pas longtemps: aussitôt qu'un prêtre aura
rajeuni dans l'onde cette tête blanchie par les chagrins,
j'espère me réunir à Atala . . . Mais achevons ce qui me
reste à conter de mon histoire.»

LES FUNÉRAILLES

«Je n'entreprendrai point, ô René! de te peindre
25 aujourd'hui le désespoir qui saisit mon âme lorsque
Atala eut rendu le dernier soupir. Il faudrait avoir plus
de chaleur qu'il ne m'en reste. Il faudrait que mes

yeux fermés se pussent rouvrir au soleil, pour demander compte des pleurs qu'ils versèrent à sa lumière. Oui, cette lune qui brille à présent sur nos têtes se lassera d'éclairer les solitudes du Kentucky; oui, le fleuve qui porte maintenant nos pirogues suspendra le cours de ses eaux, avant que mes larmes cessent de couler pour Atala! Pendant deux jours entiers je fus insensible aux discours de l'ermite. En essayant de calmer mes peines, cet excellent homme ne se servait point des vaines raisons de la terre; il se contentait de me dire: «Mon fils, c'est la volonté de Dieu;» et il me pressait dans ses bras. Je n'aurais jamais cru qu'il y eût tant de consolation dans ce peu de mots du chrétien résigné, si je ne l'avais éprouvé moi-même.

»La tendresse, l'onction, l'inaltérable patience du vieux serviteur de Dieu, vainquirent enfin l'obstination de ma douleur. J'eus honte des larmes que je lui faisais répandre. «Mon père, lui dis-je, c'en est trop: que les »passions d'un jeune homme ne troublent plus la paix »de tes jours. Laisse-moi emporter les restes de mon »épouse; je les ensevelirai dans quelque coin du désert; »et si je suis encore condamné à la vie, je tâcherai de »me rendre digne de ces noces éternelles qui m'ont été »promises par Atala.»

»A ce retour inespéré de courage, le bon père tressaillit de joie; il s'écria: «O sang de Jésus-Christ, sang »de mon divin Maître, je reconnais là tes mérites! Tu »sauveras sans doute ce jeune homme. Mon Dieu, »achève ton ouvrage; rends la paix à cette âme trou-»blée, et ne lui laisse de ses malheurs que d'humbles et »utiles souvenirs!»

» Le juste refusa de m'abandonner le corps de la fille
de Lopez; mais il me proposa de faire venir ses néophytes, et de l'enterrer avec toute la pompe chrétienne; je m'y refusai à mon tour. « Les malheurs et
5 » les vertus d'Atala, lui dis-je, ont été inconnus des
» hommes; que sa tombe, creusée furtivement par nos
» mains, partage cette obscurité. »   Nous convînmes que
nous partirions le lendemain au lever du soleil, pour
enterrer Atala sous l'arche du pont naturel, à l'entrée
10 des Bocages de la mort.   Il fut aussi résolu que nous
passerions la nuit en prière auprès du corps de cette
sainte.

» Vers le soir,[1] nous transportâmes ses précieux restes
à une ouverture de la grotte qui donnait vers le nord.
15 L'ermite les avait roulés dans une pièce de lin d'Europe,
filé par sa mère: c'était le seul bien qui lui restât de sa
patrie, et depuis longtemps il le destinait à son propre
tombeau.   Atala était couchée sur un gazon de sensi-
tives des montagnes; ses pieds, sa tête, ses épaules et
20 une partie de son sein étaient découverts.   On voyait
dans ses cheveux une fleur de magnolia fanée, celle-là
même que j'avais déposée sur le lit de la vierge.   Ses
lèvres, comme un bouton de rose cueilli depuis deux
matins, semblaient languir et sourire.   Dans ses joues,
25 d'une blancheur éclatante, on distinguait quelques
veines bleues.   Ses beaux yeux étaient fermés, ses pieds
modestes étaient joints, et ses mains d'albâtre pres-
saient sur son cœur un crucifix d'ébène; le scapulaire
de ses vœux était passé à son cou.   Elle paraissait
30 enchantée par l'ange de la mélancolie et par le double
sommeil de l'innocence et de la tombe; je n'ai rien vu

de plus céleste. Quiconque eût ignoré que cette jeune fille avait joui de la lumière, aurait pu la prendre pour la statue de la virginité endormie.

» Le religieux ne cessa de prier toute la nuit. J'étais assis en silence au chevet du lit funèbre de mon Atala. Que de fois, durant son sommeil, j'avais supporté sur mes genoux cette tête charmante! Que de fois je m'étais penché sur elle pour entendre et pour respirer son souffle! Mais à présent aucun bruit ne sortait de ce sein immobile, et c'était en vain que j'attendais le réveil de la beauté.

» La lune prêta son pâle flambeau à cette veillée funèbre. Elle se leva au milieu de la nuit, comme une blanche vestale qui vient pleurer sur le cercueil d'une compagne. Bientôt elle répandit dans les bois ce grand secret de mélancolie qu'elle aime à raconter aux vieux chênes et aux rivages antiques des mers. De temps en temps, le religieux plongeait un rameau fleuri dans une eau consacrée; puis, secouant la branche humide, il parfumait la nuit des baumes du ciel. Parfois il répétait sur un air antique quelques vers d'un vieux poëte nommé *Job;* il disait:

» J'ai passé comme une fleur[1]; j'ai séché comme » l'herbe des champs.

» Pourquoi la lumière a-t-elle été donnée à un mi- » sérable, et la vie à ceux qui sont dans l'amertume du » cœur?»

» Ainsi chantait l'ancien des hommes. Sa voix grave et un peu cadencée allait roulant dans le silence des déserts. Le nom de Dieu et du tombeau sortait de tous les échos, de tous les torrents, de toutes les forêts. Les

roucoulements de la colombe de Virginie, la chute d'un
torrent dans la montagne, les tintements de la cloche
qui appelait les voyageurs, se mêlaient à ces chants
funèbres; et l'on croyait entendre dans les Bocages de
5 la mort le chœur lointain des décédés qui répondait à la
voix du solitaire.

» Cependant une barre d'or se forma dans l'orient.
Les éperviers criaient sur les rochers et les martres ren-
traient dans le creux des ormes; c'était le signal du
10 convoi d'Atala. Je chargeai le corps sur mes épaules;
l'ermite marchait devant moi, une bêche à la main.
Nous commençâmes à descendre de rochers en rochers;
la vieillesse et la mort ralentissaient également nos pas.
A la vue du chien qui nous avait trouvés dans la forêt,
15 et qui maintenant, bondissant de joie, nous traçait une
autre route, je me mis à fondre en larmes. Souvent la
longue chevelure d'Atala, jouet des brises matinales,
étendait son voile d'or sur mes yeux; souvent, pliant
sous le fardeau, j'étais obligé de le déposer sur la mousse
20 et de m'asseoir auprès, pour reprendre des forces. Enfin,
nous arrivâmes au lieu marqué par ma douleur; nous
descendîmes sous l'arche du pont. O mon fils! il eût
fallu voir un jeune sauvage et un vieil ermite, à genoux
l'un vis-à-vis de l'autre dans un désert, creusant avec
25 leurs mains un tombeau pour une pauvre fille dont le
corps était étendu près de là, dans la ravine desséchée
d'un torrent!

» Quand notre ouvrage fut achevé, nous transportâmes
la beauté dans son lit d'argile. Hélas! j'avais espéré
30 de préparer une autre couche pour elle! Prenant alors
un peu de poussière dans ma main et gardant un silence

"JE CHARGEAI LE CORPS SUR MES ÉPAULES."

From the edition illustrated by Gustave Doré.

effroyable, j'attachai pour la dernière fois mes yeux sur
le visage d'Atala. Ensuite je répandis la terre du sommeil sur un front de dix-huit printemps; je vis graduellement disparaître les traits de ma sœur et ses grâces se
cacher sous le rideau de l'éternité; son sein surmonta 5
quelque temps le sol noirci, comme un lis blanc s'élève
du milieu d'une sombre argile: «Lopez, m'écriai-je alors,
»vois ton fils inhumer ta fille!» Et j'achevai de couvrir
Atala de la terre du sommeil.

Nous retournâmes à la grotte, et je fis part au mis- 10
sionnaire du projet que j'avais formé de me fixer près de
lui. Le saint, qui connaissait merveilleusement le cœur
de l'homme, découvrit ma pensée et la ruse de ma douleur. Il me dit: «Chactas, fils d'Outalissi, tandis
»qu'Atala a vécu, je vous ai sollicité moi-même de de- 15
»meurer auprès de moi; mais à présent votre sort est
»changé: vous vous devez à votre patrie. Croyez-moi,
»mon fils, les douleurs ne sont point éternelles; il faut
»tôt ou tard qu'elles finissent parce que le cœur de
»l'homme est fini; c'est une de nos grandes misères: 20
»nous ne sommes pas même capables d'être longtemps
»malheureux. Retournez au Meschacebé; allez consoler
»votre mère, qui vous pleure tous les jours et qui a
»besoin de votre appui. Faites-vous instruire dans la
»religion de votre Atala lorsque vous en trouverez l'oc- 25
»casion; et souvenez-vous que vous lui avez promis
»d'être vertueux et chrétien. Moi, je veillerai ici sur
»son tombeau. Partez, mon fils. Dieu, l'âme de votre
»sœur et le cœur de votre vieil ami vous suivront.»

»Telles furent les paroles de l'homme du rocher, son 30
autorité était trop grande, sa sagesse trop profonde,

pour ne lui obéir pas. Dès le lendemain je quittai mon
vénérable hôte, qui, me pressant sur son cœur, me
donna ses derniers conseils, sa dernière bénédiction et
ses dernières larmes. Je passai au tombeau; je fus surpris d'y trouver une petite croix qui se montrait au-dessus de la mort, comme on aperçoit encore le mât
d'un vaisseau qui a fait naufrage. Je jugeai que le
solitaire était venu prier au tombeau pendant la nuit;
cette marque d'amitié et de religion fit couler mes pleurs
en abondance. Je fus tenté de rouvrir la fosse et de
voir encore une fois ma bien-aimée; une crainte religieuse me retint. Je m'assis sur la terre fraîchement
remuée. Un coude appuyé sur mes genoux et la tête
soutenue dans ma main, je demeurai enseveli dans la
plus amère rêverie. O René! c'est là que je fis pour la
première fois des réflexions sérieuses sur la vanité de
nos jours et la plus grande vanité de nos projets. Eh!
mon enfant, qui ne les a point faites, ces réflexions? Je
ne suis plus qu'un vieux cerf blanchi par les hivers: mes
ans le disputent à ceux de la corneille:[1] eh bien, malgré
tant de jours accumulés sur ma tête, malgré une si longue expérience de la vie, je n'ai point encore rencontré
l'homme qui n'eût été trompé dans ses rêves de félicité,
point de cœur qui n'entretînt une plaie caché. Le cœur
le plus serein en apparence ressemble au puits naturel
de la savane Alachua: la surface en paraît calme et
pure; mais quand vous regardez au fond du bassin, vous
apercevez un large crocodile, que le puits nourrit dans
ses eaux.

» Ayant ainsi vu le soleil se lever et se coucher sur ce
lieu de douleur, le lendemain, au premier cri de la

cigogne, je me préparai à quitter la sépulture sacrée.
J'en partis comme de la borne d'où je voulais m'élancer
dans la carrière de la vertu.   Trois fois j'évoquai l'âme
d'Atala; trois fois le génie du désert répondit à mes cris
sous l'arche funèbre.   Je saluai ensuite l'orient, et je 5
découvris au loin, dans les sentiers de la montagne,
l'ermite qui se rendait à la cabane de quelque infortuné.
Tombant à genoux et embrassant étroitement la fosse,
je m'écriai: «Dors en paix dans cette terre étrangère,
»fille trop malheureuse! pour prix de ton amour, de ton 10
»exil et de ta mort, tu vas être abandonnée, même de
»Chactas!»   Alors versant des flots de larmes, je me
séparai de la fille de Lopez; alors je m'arrachai de ces
lieux, laissant au pied du monument de la nature un
monument plus auguste: l'humble tombeau de la vertu.» 15

ÉPILOGUE

Chactas, fils d'Outalissi le Natchez, a fait cette histoire à René l'Européen.   Les pères l'ont redite aux
enfants; et moi, voyageur aux terres lointaines, j'ai
fidèlement rapporté ce que des Indiens m'en ont appris.
Je vis dans ce récit le tableau du peuple chasseur et du 20
peuple laboureur; la religion, première législatrice des
hommes; les dangers de l'ignorance et de l'enthousiasme religieux, opposés aux lumières, à la charité et au
véritable esprit de l'Évangile; les combats des passions
et des vertus dans un cœur simple; enfin le triomphe du 25
christianisme sur le sentiment le plus fougueux et la
crainte la plus terrible: l'amour et la mort.

Quand un Siminole me raconta cette histoire, je la trouvai fort instructive et parfaitement belle, parce qu'il y mit la fleur du désert, la grâce de la cabane, et une simplicité à conter la douleur que je ne me flatte pas 5 d'avoir conservées. Mais une chose me restait à savoir: je demandais ce qu'était devenu le père Aubry, et personne ne me le pouvait dire. Je l'aurais toujours ignoré, si la Providence, qui conduit tout, ne m'avait découvert ce que je cherchais. Voici comme la chose 10 se passa:

J'avais parcouru les rivages du Meschacebé qui formaient autrefois la barrière méridionale de la Nouvelle-France, et j'étais curieux de voir, au nord, l'autre merveille de cet empire, la cataracte de Niagara. J'étais 15 arrivé tout près de cette chute, dans l'ancien pays des Agannonsioni,[1] lorsqu'un matin, en traversant une plaine, j'aperçus une femme assise sous un arbre et tenant un enfant mort sur ses genoux. Je m'approchai doucement de la jeune mère, et je l'entendis qui disait:

20 «Si tu étais resté parmi nous, cher enfant, comme ta main eût bandé l'arc avec grâce! Ton bras eût dompté l'ours en fureur; et, sur le sommet de la montagne, tes pas auraient défié le chevreuil à la course. Blanche hermine du rocher, si jeune être allé dans le pays des 25 âmes! Comment feras-tu pour y vivre? Ton père n'y est point pour t'y nourrir de sa chasse. Tu auras froid, et aucun Esprit ne te donnera des peaux pour te couvrir. Oh! il faut que je me hâte de t'aller rejoindre pour te chanter des chansons et te présenter mon sein.»

30 Et la jeune mère chantait d'une voix tremblante, balançait l'enfant sur ses genoux, humectait ses lèvres

du lait maternel, et prodiguait à la mort tous les soins
qu'on donne à la vie.

Cette femme voulait faire sécher le corps de son fils
sur les branches d'un arbre, selon la coutume indienne,
afin de l'emporter ensuite aux tombeaux de ses pères. 5
Elle se leva et chercha des yeux un arbre sur les
branches duquel elle pût exposer son enfant. Elle
choisit un érable à fleurs rouges, festonné de guirlandes
d'apios, et qui exhalait les parfums les plus suaves.
D'une main elle en abaissa les rameaux inférieurs, de 10
l'autre elle y plaça le corps; laissant alors échapper la
branche, la branche retourna à sa position naturelle,
emportant la dépouille de l'innocence, cachée dans un
feuillage odorant. Oh! que cette coutume indienne est
touchante! Je vous ai vus dans vos campagnes déso- 15
lées, pompeux monuments des Crassus[1] et des Césars;
et je vous préfère encore ces tombeaux aériens du sauvage, ces mausolées de fleurs et de verdure que parfume
l'abeille, que balance le zéphyr, et où le rossignol bâtit
son nid et fait entendre sa plaintive mélodie. Si c'est la 20
dépouille d'une jeune fille que la main d'un amant a
suspendue à l'arbre de la mort; si ce sont les restes d'un
enfant chéri qu'une mère a placés dans la demeure des
petits oiseaux, le charme redouble encore. Je m'approchai de celle qui gémissait au pied de l'érable; je lui 25
imposai les mains sur la tête en poussant les trois cris
de douleur. Ensuite, sans lui parler, prenant comme
elle un rameau, j'écartai les insectes qui bourdonnaient
autour du corps de l'enfant. Mais je me donnai de
garde d'effrayer une colombe voisine. L'Indienne lui 30
disait: «Colombe, si tu n'es pas l'âme de mon fils qui

s'est envolée,[1] tu es sans doute une mère qui cherche
quelque chose pour faire un nid.　Prends de ces cheveux, que je ne laverai plus dans l'eau d'esquine;
prends-en pour coucher tes petits; puisse le Grand-
5 Esprit te les conserver!»

Cependant la mère pleurait de joie en voyant la
politesse de l'étranger.　Comme nous faisions ceci, un
jeune homme approcha: «Fille de Céluta,[2] retire notre
enfant; nous ne séjournerons pas plus longtemps ici, et
10 nous partirons au premier soleil. »　Je dis alors: «Frère,
je te souhaite un ciel bleu, beaucoup de chevreuils, un
manteau de castor et l'espérance.　Tu n'es donc pas de
ce désert?—Non, répondit le jeune homme, nous sommes des exilés, et nous allons chercher une patrie.»　En
15 disant cela, le guerrier baissa la tête dans son sein, et
avec le bout de son arc il abattait la tête des fleurs.　Je
vis qu'il y avait des larmes au fond de cette histoire, et
je me tus.　La femme retira son fils des branches de
l'arbre et elle le donna à porter à son époux.　Alors je
20 dis:

«Voulez-vous me permettre d'allumer votre feu cette
nuit?—Nous n'avons point de cabane, reprit le guerrier; si vous voulez nous suivre, nous campons au bord
de la chute.—Je le veux bien,» répondis-je.　Et nous
25 partîmes ensemble.

Nous arrivâmes bientôt au bord de la cataracte, qui
s'annonçait par d'affreux mugissements.　Elle est formée
par la rivière Niagara, qui sort du lac Érié et se jette
dans le lac Ontario; sa hauteur perpendiculaire est de
30 cent quarante-quatre pieds.　Depuis le lac Érié jusqu'au
Saut,[3] le fleuve accourt par une pente rapide; et au mo-

ment de la chute c'est moins un fleuve qu'une mer, dont
les torrents se pressent à la bouche béante d'un gouffre.
La cataracte se divise en deux branches et se courbe en
fer à cheval. Entre les deux chutes s'avance une île
creusée en dessous, qui pend avec tous ses arbres sur le 5
chaos des ondes. La masse du fleuve qui se précipite au
midi s'arrondit en un vaste cylindre, puis se déroule en
nappe de neige et brille au soleil de toutes les couleurs;
celle qui tombe au levant descend dans une ombre effrayante; on dirait une colonne d'eau du déluge. Mille 10
arcs-en-ciel se courbent et se croisent sur l'abîme. Frap-
pant le roc ébranlé, l'eau rejaillit en tourbillons d'écume,
qui s'élèvent au-dessus des forêts comme les fumées d'un
vaste embrasement. Des pins, des noyers sauvages, des
rochers taillés en forme de fantômes, décorent la scène. 15
Des aigles, entraînés par le courant d'air, descendent en
tournoyant au fond du gouffre, et des carcajous se suspendent par leurs queues flexibles au bout d'une branche
abaissée, pour saisir dans l'abîme les cadavres brisés des
élans et des ours. 20

Tandis qu'avec un plaisir mêlé de terreur je contem-
plais ce spectacle, l'Indienne et son époux me quittèrent.
Je les cherchai en remontant le fleuve au-dessus de la
chute, et bientôt je les trouvai dans un endroit convenable à leur deuil. Ils étaient couchés sur l'herbe, 25
avec des vieillards, auprès de quelques ossements hu-
mains enveloppés dans des peaux de bêtes. Étonné de
tout ce que je voyais depuis quelques heures, je m'assis
auprès de la jeune mère et je lui dis:

«Qu'est-ce que tout ceci, ma sœur?» Elle me répon- 30
dit: «Mon frère, c'est la terre de la patrie, ce sont les

cendres de nos aïeux, qui nous suivent dans notre exil.—
Et comment, m'écriai-je, avez-vous été réduits à un tel
malheur?» La fille du Céluta repartit: «Nous sommes
les restes des Natchez. Après le massacre que les
5 Français firent de notre nation pour venger leurs frères,
ceux de nos frères qui échappèrent aux vainqueurs trou-
vèrent un asile chez les Chikassas[1] nos voisins. Nous
y sommes demeurés assez longtemps tranquilles; mais il
y a sept lunes que les blancs de la Virginie se sont em-
10 parés de nos terres en disant qu'elles leur ont été don-
nées par un roi d'Europe. Nous avons levé les yeux au
ciel,[2] et, chargés des restes de nos aïeux, nous avons
pris notre route à travers le désert.

Or je dis bientôt: «Ma sœur, adorons le Grand-Esprit;
15 tout arrive par son ordre. Nous sommes tous voyageurs;
nos pères l'ont été comme nous; mais il y a un lieu où
nous nous reposerons. Si je ne craignais d'avoir la
langue aussi légère que celle d'un blanc, je vous deman-
derais si vous avez entendu parler de Chactas le Natchez?
20 A ces mots, l'Indienne me regarda et me dit: «Qui est-ce
qui vous a parlé de Chactas le Natchez?» Je répondis:
«C'est la Sagesse.» L'Indienne reprit: «Je vous dirai
ce que je sais, parce que vous avez éloigné les mouches
du corps de mon fils et que vous venez de dire de belles
25 paroles sur le Grand-Esprit. Je suis la fille de la fille de
René l'Européen, que Chactas avait adopté. Chactas,
qui avait reçu le baptême, et René, mon aïeul si malheureux, ont péri dans le massacre.—L'homme va toujours de douleur en douleur, répondis-je en m'inclinant.
30 Vous pourriez donc aussi m'apprendre des nouvelles du
père Aubry?—Il n'a pas été plus heureux que Chactas,

dit l'Indienne. Les Chéroquois,[1] ennemis des Français, pénétrèrent à sa Mission; ils y furent conduits par le son de la cloche qu'on sonnait pour secourir les voyageurs. Le père Aubry se pouvait sauver; mais il ne voulut pas abandonner ses enfants, et il demeura pour 5 les encourager à mourir par son exemple. Il fut brûlé avec de grandes tortures; jamais on ne put tirer de lui un cri qui tournât à la honte de son Dieu ou au déshonneur de sa patrie. Il ne cessa, durant le supplice, de prier pour ses bourreaux et de compatir au sort des vic- 10 times. Pour lui arracher une marque de faiblesse, les Chéroquois amenèrent à ses pieds un sauvage chrétien qu'ils avaient horriblement mutilé. Mais ils furent bien surpris quand ils virent le jeune homme se jeter à genoux et baiser les plaies du vieil ermite, qui lui criait: «Mon 15 «enfant, nous avons été mis en spectacle aux anges et »aux hommes.» Les Indiens, furieux, lui plongèrent un fer rouge dans la gorge pour l'empêcher de parler. Alors, ne pouvant plus consoler les hommes, il expira.

»On dit que les Chéroquois, tout accoutumés qu'ils 20 étaient à voir des sauvages souffrir avec constance, ne purent s'empêcher d'avouer qu'il y avait dans l'humble courage du père Aubry quelque chose qui leur était inconnu et qui surpassait tous les courages de la terre. Plusieurs d'entre eux, frappés de cette mort, se sont faits 25 chrétiens.

»Quelques années après, Chactas, à son retour de la terre des blancs, ayant appris les malheurs du chef de la prière, partit pour aller recueillir ses cendres et celles d'Atala. Il arriva à l'endroit où était située la Mission; 30 mais il put à peine le reconnaître. Le lac s'était débordé

et la savane était changée en un marais; le pont naturel,
en s'écroulant, avait enseveli sous ses débris le tombeau
d'Atala et les Bocages de la mort. Chactas erra longtemps dans ce lieu; il visita la grotte du solitaire, qu'il
trouva remplie de ronces et de framboisiers, et dans
laquelle une biche allaitait son faon. Il s'assit sur le
rocher de la Veillée de la mort, où il ne vit que quelques
plumes tombées de l'aile de l'oiseau de passage. Tandis
qu'il y pleurait, le serpent familier[1] du missionnaire sortit
des broussailles voisines et vint s'entortiller à ses pieds.
Chactas réchauffa dans son sein ce fidèle ami, resté seul
au milieu de ces ruines. Le fils d'Outalissi a raconté
que plusieurs fois, aux approches de la nuit, il avait cru
voir les ombres d'Atala et du père Aubry s'élever dans la
vapeur du crépuscule. Ces visions le remplirent d'une
religieuse frayeur et d'une joie triste.

»Après avoir cherché vainement le tombeau de sa sœur
et celui de l'ermite, il était près d'abandonner ces lieux,
lorsque la biche de la grotte se mit à bondir devant lui.
Elle s'arrêta au pied de la croix de la Mission. Cette
croix était alors à moitié entourée d'eau; son bois était
rongé de mousse, et le pélican du désert aimait à se
percher sur ses bras vermoulus. Chactas jugea que la
biche reconnaissante l'avait conduit au tombeau de son
hôte. Il creusa sous la roche qui jadis servait d'autel,
et il y trouva les restes d'un homme et d'une femme. Il
ne douta point que ce ne fussent ceux du prêtre et de la
vierge, que les anges avaient peut-être ensevelis dans ce
lieu; il les enveloppa dans des peaux d'ours et reprit le
chemin de son pays, emportant ces précieux restes, qui
résonnaient sur ses épaules comme le carquois de la

mort. La nuit, il les mettait sous sa tête, et il avait des songes d'amour et de vertu. O étranger! tu peux contempler ici cette poussière avec celle de Chactas lui-même.»

Comme l'Indienne achevait de prononcer ces mots, je me levai; je m'approchai des cendres sacrées, je me prosternai devant elles en silence. Puis, m'éloignant à grands pas, je m'écriai: «Ainsi passe sur la terre tout ce qui fut bon, vertueux, sensible! Homme, tu n'es qu'un songe rapide, un rêve douloureux[1] tu n'existes que par le malheur; tu n'es quelque chose que par la tristesse de ton âme et l'éternelle mélancolie de ta pensée!»

Ces réflexions m'occupèrent toute la nuit. Le lendemain, au point du jour, mes hôtes me quittèrent. Les jeunes guerriers ouvraient la marche et les épouses la fermaient; les premiers étaient chargés des saintes reliques; les secondes portaient leurs nouveau-nés; les vieillards cheminaient lentement au milieu, placés entre leurs aïeux et leur postérité, entre les souvenirs et l'espérance, entre la patrie perdue et la patrie à venir. Oh! que de larmes sont répandues lorsqu'on abandonne ainsi la terre natale, lorsque, du haut de la colline de l'exil, on découvre pour la dernière fois le toit où l'on fut nourri et le fleuve de la cabane, qui continue de couler tristement à travers les champs solitaires de la patrie!

Indiens infortunés que j'ai vus errer dans les déserts du Nouveau-Monde avec les cendres de vos aïeux; vous qui m'aviez donné l'hospitalité malgré votre misère, je ne pourrais vous la rendre aujourd'hui, car j'erre, ainsi que vous, à la merci des hommes; et, moins heureux dans mon exil, je n'ai point emporté les os de mes pères.

NOTES

Page 1. — 1. **Florides**; the modern form of this word is in the singular, *la Floride*.

2. **Quatre grands fleuves, etc.**; in this description Chateaubriand follows the vague and erroneous geography of the times. In a chapter on *les Lacs du Canada* in his *Voyage en Amérique*, he gives the names of the "quatre plus grands fleuves de l'Amérique septentrionale" as, "le Mississippi, le Saint Laurent, l'Ontowais, et le fleuve de l'Ouest."

3. **le Meschacebé**; *the Mississippi*.

4. **l'Arkanza**; *the Arkansas*.

5. **le Wabache**; *the Wabash*.

6. **le Tenase**; *the Tennessee*.

Page 2. — 1. **pistia**, *great duck-weed;* a water-plant belonging to the *Arum* family. Note the singular form instead of the plural, due to the fact that this word had not yet become naturalized in French.

2. **le tableau le plus extraordinaire**; Saint-Beuve has discussed the exaggeration of this description in his *Chateaubriand et Son Groupe Littéraire* (Septième Leçon).

3. **se vient coucher**; modern usage would require the *se* to be placed immediately before the verb *coucher*. Note the different use of *venir:* — 1. without a preposition, as here, *vient se coucher*— "Comes and lies down"; 2. with preposition *à*, as *s'il vient à mourir*, "if he happens to die"; 3. with preposition *de*, as, *il vient de mourir*, "he has just died."

Page 4. — 1. **la découverte du Meschacebé**; the discovery of the Mississippi is variously claimed for De Soto, Calza de Vaca, and Alonzo de Pineda (see Winsor, *Narrative and Critical History of America*, vol. 2, p. 292, note). For an account of the wanderings of Marquette and La Salle, see Ibid., vol. 4. La Salle is called in-fortuné by Chateaubriand in allusion to his death, as he had been killed from an ambuscade by two of his men. In *Les Natchez*, Chateaubriand says of La Salle, "il descendit le premier le Mississippi."

2. **Biloxi,** a post village and bathing resort on the Gulf of Mexico, 80 miles E. N. E. of New Orleans.

3. **les Natchez,** the same as *Nachi, Nadches, Nahy,* or *Naguatez.* A tribe or confederacy of North American Indians, which dwelt on St. Catherine's Creek, East and South of the present city of Natchez. The French broke up the confederacy in 1729, but did not exterminate the people, as has been generally stated. They scattered, however, and the larger part were received by the Chickasaws. Chateaubriand wrote a later book,— *Les Natchez,*— half narrative, half prose-epic, on the fate of this tribe.

4. **Chactas** (pron. *Chactass*); the meaning of this name is given by Chateaubriand as *voix harmonieuse.* In *Les Natchez,* we read, "On me nomme Chactas parce qu'on prétend que ma voix a quel-que douceur."

Page 5. — 1. **Versailles,** town in France, 11 miles from Paris; it owes its existence to the palace built by Louis XIV. Fabulous sums were spent on the palace, garden and works of art. — **Racine,** Jean (1639–1699), the greatest tragic dramatist of France (after Corneille); among his master-pieces are *Andromaque, Phèdre* and *Athalie.* — **Bossuet,** Jacques Bénigne (1627–1704), celebrated pre-late and the greatest pulpit orator of France. In his funeral ora-tions he reached the summit of religious eloquence.

2. **Antigone,** daughter of Oedipus, King of Thebes; the latter, stricken by inexorable fate and having become blind, is led into exile by his faithful daughter.

3. **Malvina,** the betrothed of Ossian, a semi-historic bard and warrior, son of Finn; supposed author of a collection of Celtic poems, published by James McPherson (1760–63). These poems were afterwards proved to be a forgery; the book, however, had an enormous popularity, especially in France and Germany. Its influ-ence can be distinctly traced in the works of Chateaubriand.

4. **Fénelon,** François de Salignac de la Motte (1652–1715), Tutor to the Duke of Burgundy, grandson of Louis XIV; was made

bishop of Cambrai in 1695. His most famous work is *The Adventures of Telemachus*, composed for the instruction of his royal pupil.

5. **René,** hero of Chateaubriand's story of the same name, and also of *Les Natchez,* is the type of the *homme fatal,* who is not only thoroughly wretched himself, but the cause of unhappiness in others. Chateaubriand's own Christian name was François-René.

6. **Céluta,** a young Indian girl, the story of whose love for René is given in *Les Natchez.*

Page 6. — 1. **Manitous,** Indian divinities; great spirits, whether good or evil.

2. **petun,** a Brazilian word, meaning tobacco; not now in use.

3. **orignal,** *Canada Elk.*

4. **pirogues,** name given by Europeans to all boats made from a single tree hollowed out; and to all light, long, rapid canoes used by the natives of both Indies.

Page 7. — 1. **lune de fleurs,** *the month of May.*

2. **neiges,** here for *years.*

3. **Pensacola,** an inlet which extends from the Gulf of Mexico into Santa Rosa County; it is land-locked and affords a safe harbor.

4. **chutes de feuilles,** *years;* cf. use of *neiges* above.

5. **Muscogulges,** *Muscogees,* another name for the Creek Indians; see *Voyage en Amérique* for an account of them.

6. **Maubile,** *Mobile River.*

7. **Areskoui,** *Dieu de la Guerre* (note by Chateaubriand).

8. **pays des âmes,** *les enfers* (note by Chateaubriand).

9. **Saint-Augustin,** the oldest town in the United States, was settled by the Spaniards about 1565.

10. **Lopez** (pron. Lopèss); this is the real father of Atala, as Chactas learns later.

Page 9. — 1. **Siminoles,** a tribe of Indians composed mainly of members of the Creek confederacy, who during the 18th and the early part of the 19th century left the main body and settled in Florida. According to Schoolcraft (Indian Tribes of the United States) the word "Seminole" means "wanderers" or "lost men."

2. **chevelures,** *scalps.*

Page 10. — 1. **sagamité,** an Indian dish made of meal.

2. **mélancolie profonde;** all the characters of Chateaubriand are the victims of melancholy. He himself says in his *Essai Historique:* "je me délectais à parler du malheur."

3. **Vierge des dernières amours;** a similar scene is found in *Les Natchez.*

Page 11. — 1. **Chactas fut contraint,** etc.; this is a very common rhetorical device of Chateaubriand's to increase the effect of the narrative.

2. **les hommes ne peuvent,** etc., *men may no longer be able to see, and yet they can still weep.*

Page 12. — 1. **Alachua,** a county in North Florida, the capital of which is Gainesville.

2. **copalmes,** a name given to the sweet gum tree of North America; it belongs to the genus *liquidambar.* See note below.

3. **puits naturel,** for a description of these natural wells see *Voyage en Amérique.*

4. **liquidambar,** a genus consisting of two species of tall trees, having star-shaped leaves.

5. **les choses du mystère,** *the mysterious things of love.*

Page 13. — 1. **peau de castor;** allusion to the way in which Indian women carry their infant children.

Page 14. — 1. **Ma religion;** Atala was a Christian, Chactas a pagan.

2. **Quelquefois nous versions des pleurs,** etc.; all this sentimentality is inconsistent with the actual character of Indians; Schoolcraft says that the "refined passion of love is unknown to them." Chateaubriand is painting an idyll of sentimental love, like Paul and Virginia, and is not disturbed by obvious incongruities.

Page 15. — 1. **Cuscowilla,** situated in East Florida.

2. **Creeks,** a powerful confederation of North American Indians, which in historical times occupied the greater part of Alabama and Georgia.

Page 16. — 1. **Le génie des airs,** etc.; a good example of Chateaubriand's descriptive style. A similar but much longer passage is found in the *Essai Historique,* and reproduced in the *Génie du Christianisme,* Livre V. Chap. 12.

2. **Je devancerai les pas du jour**; cf. Psalms CXIX: 147. "I prevented the dawning of the morning," where the word "prevented" has the obsolete meaning of "anticipate", "go before".

3. **collier de porcelaines**, "*sorte de coquillage*" (note of Chateaubriand); *a necklace made of shells*.

Page 17. — 1. **Heureux ceux qui meurent au berceau**; Chateaubriand here repeats the famous words of Sophocles (in Oedipus Colonus), "the best of all is never to have been born; the next best is to die as soon as possible." Cf. Pliny (*Hist. Nat.*). "Ex omnibus bonis quae homini natura tribuit, nullum melius esse tempestiva morte."

Page 18. — 1. **C'est de ce moment, etc.**; religion plays an important rôle in Chateaubriand's literary activity. *Atala* originally formed part of the *Génie du Christianisme*, and was intended to give a picture of Christian missions.

Page 19. — 1. **Apalachucla,** means *ville de la paix* according to Chateaubriand in his *Voyage en Amérique*.

2. **Chata-Uche,** the river Cattahoochee; it rises in Georgia and joins the Flint river to form the Appalachicola.

3. **chichikoué,** *instrument de musique des sauvages* (note of Chateaubriand).

4. **mico** ; the Micos are counsellors and orators and until very lately had a control over the warriors and leaders. . . . Were formerly styled kings. See Schoolcraft, vol. V, page 279, and Chateaubriand's *Voyage en Amérique*.

Page 20. — 1. **éventail à jour**; *à jour* means "open-work" as in embroidery. Here it means that the spaces between the bands of bark which form the ribs of the fan, are open.

2. **collier bleu,** sign of peace. So Chactas in *Les Natchez* "jette un collier bleu, symbole de paix." The *collier rouge* indicates war (see *Voyage en Amérique*).

Page 22. — 1. **la balle, les osselets**; for description of the Indian game of ball see Schoolcraft, and *Les Natchez;* for the game of *osselets* see *Voyage en Amérique*.

2. **rougissent**; Chateaubriand in a note to this passage says, "la rougeur est sensible chez les jeunes sauvages", yet in *Les Natchez* he says, "l'Indien ne sait pas rougir".

3. **Grand Lièvre,** called in *Les Natchez*, "divinité souveraine des chasseurs"; in *Voyage en Amérique* he is described as the creator of the earth and of men and animals.

4. **Machimanitou;** cf. Longfellow's *Hiawatha:*

> "Mitche Manito the mighty,
> He the dreadful Spirit of Evil."

5. **Athaënsic,** referred to in *Les Natchez* as "qui excite à la vengeance", and again as "le génie de la vengeance".

6. **la belle Endaé;** cf. the story of Orpheus and Eurydice in Ovid's *Metamorphoses.*

Page 23. — 1. **ruines,** for description of such monuments see Schoolcraft.

Page 26. — 1. **Apalaches,** *the Appalachian Mountains.*
2. **essence de feu,** *de l'eau de vie* (note of Chateaubriand).
3. **papaya,** *pa-paw tree.*

Page 27. — 1. **étoile immobile,** *the North Star;* " Le jour, les sauvages n'ont pas besoin de boussole; dans les savanes, la pointe de l'herbe qui penche du côté du sud, dans les forêts, la mousse qui s'attache au tronc des arbres du côté du nord, leur indiquent le septentrion et le midi." *Voyage en Amérique.*
2. **Agar,** see Genesis XII: 16; XVI and XXI.

Page 28. — 1. **yeuse,** *ever-green oak; live oak.*
2. **colibris,** *humming-birds.*
3. **dinde,** *turkey, turkey-hen;* formerly called *coq d'Inde* (the Inde here standing for America), whence the name.

Page 29. — 1. **tripes de roches,** *rock-tripe,* a kind of lichen growing on rocks in the northern parts of America. It has been used as food in cases of extremity.
2. **pommes de mai,** *may apples;* also known as *mandrake.*
3. **Occone,** *Oconee,* name of a former Indian settlement in Georgia on a river of the same name.

Page 30. — 1. **Keow,** name given to the Savannah River above its confluence with the Tugulo, the west main branch; also in ancient times a town on the same river (Alcedo, *Geog. and Hist. Dict of America*).
2. **Jore,** village and mountain in the Cherokee country, through

which runs the Tennessee. The village of Jore is beautifully situated many thousand feet above the adjacent country (Alcedo).

Page 33. — 1. **lune de feu,** *mois de Juillet* (note of Chateaubriand).

Page 34. — 1. **serpents à sonnettes,** *rattlesnakes.*

2. **carcajous,** *wolverenes;* the name is also applied, but wrongly
to the Canadian lynx, and sometimes to the American badger.

3. **La foudre met le feu, etc.;** for a similar description see *Les
Natchez.*

Page 35. — 1. **la mère de ma mère lui jeta de l'eau au visage,**
etc., this evidently refers to some phase of the marriage customs of
the Seminole Indians. Nothing of the kind however is described
by Schoolcraft, or Chateaubriand himself in their descriptions of
Indian marriages. Schoolcraft says (V. p. 268) that the consent of
the father of the girl is not required. Lewis H. Morgan in his
League of the Iroquois, says that the marriage contract is not
made by the two parties to be married, but between the two
mothers; marriages of affection are practically unknown among
the Indians.

2. **la petite cave,** etc., cf. Shakspere, "the undiscovered country
from whose bourne no traveller returns" (*Hamlet* III, 1); also Job
x, 21: "Before I go whence I shall not return, even to the land of
darkness and the shadow of death; a still more striking parallel is
the passage given in Constans' *Chrestomathie de l'Ancien Français* (page 62), "le malvais puiz dont ne resoudront mais."

Page 36. — 1. **un chien aboie,** etc.; Chateaubriand undoubtedly
imitates here a similar scene in *Paul and Virginia.*

Page 37. — 1. **Liban,** *Lebanon.*

Page 40. — 1. **chef de notre religion,** i. e. the Pope.

Page 43. — 1. **pont naturel . . . de la Virginie;** the Natural
Bridge of Virginia is an arch of limestone which crosses a river in
Rockbridge County, Va., 13 miles from Lexington. Lamartine in
his *Jocelyn* describes a similar bridge.

Page 45. — 1. **les vases sacrés;** these simple appointments for
the Mass remind us of the similar scene in Lamartine's *Jocelyn.*

Page 46. — 1. le grand mystère; the change of the host and the wine into the body and the blood of Christ.

Page 47. — 1. Sem, *Shem*.

Page 48. — 1. Béthanie, *Bethany*.
2. Jouet continuel de la fortune; cf. Racine (*Phèdre*, II, 1),
"Triste jouet d'un sort impitoyable."

Page 49. — 1. Ceci . . . ne sera, etc.; the future here expresses probability; translate, "it is probably only a fever."

Page 50. — 1. Reine des Anges, i. e. the Virgin Mary.
2. Vœu fatal, etc.; it is interesting to note that a vow was likewise the cause of the tragedy in Lamartine's *Jocelyn* and in Victor Hugo's *Hernani* and *Bug Jargal*; yet in all of these works we feel that the cause of the tragedy is an inadequate one. In *Atala*, however, the catastrophe is brought about more logically than in the others.

Page 55. — 1. une seule larme suffit à Dieu, cf. Dante (*Purg.* V. 107),
"*Per una lagrimetta* che 'l mi toglie."
For one little tear which takes him from me.
cf. also Moore's "Paradise and the Peri."
2. échappiez; subjunctive on account of *volonté*, equivalent to a verb of wishing.
3. Québec, headquarters, at that time, of the French Missionaries.

Page 57. — 1. en me dévorant les mains; an expression of grief and despair. Cf. Dante (*Inf.* xxxiii, 58),
"Both my hands in grief I bit."

Page 58. — 1. mourir si jeune; cf. the refrain of Chenier's *La Jeune Captive*, "Je ne veux point mourir encore."
2. Quant à la vie; this passage describing the vanity of all earthly pleasures is characteristic of the pessimism of the Romantic School in France, and found frequent imitators in Chateaubriand's followers.

Page 59. — 1. ce long cri de douleur; cf. A. de Musset,
"Un long cri de douleur traversa l'Italie."

2. L'habitant de la cabane; imitated from Horace's

> " Pallida Mors aequo pulsat pede pauperum tabernas
> Regumque turres." (Odes I, 4.)

3. la quantité de larmes, etc.; Sante-Beuve has justly ridiculed this expression.

Page 60. — 1. **rien ne pouvait consoler Rachel**; see Jeremiah XXXI; 15, and Matthew II : 18.

Page 62. — 1. **rose mystique**; the Virgin Mary, called the *rosa mystica* in the litany of the Roman Church.

2. Le cœur, ô Chactas; cf. Alfred de Musset, (*La Nuit de Mai,*) for a similar thought.

Page 65. — 1. **Le prêtre ouvrit le calice,** Chateaubriand here describes in poetic language the Sacrament of Extreme Unction; the *calice* is the sacred vessel used in the consecration of the wine.

Page 68. — 1. **Vers le soir**; the following scene forms the subject of the well-known picture by Girodet-Trioson in the Louvre.

Page 69. — 1. **J'ai passé comme une fleur**; Job, 14 : 2.

Page 72. — 1. **Mes ans,** etc. ; the supposed longevity of the crow is proverbial.

Page 74. — 1. **Agannonsioni**; *Acquinoshionee,* the ancient name of the Iroquois for their confederacy : it signifies a league of tribes. Schoolcraft, III., p. 517.

Page 75. — 1. **Crassus,** name of two Roman statesmen; Marcus Licinius Crassus, surnamed Dives, served under Sulla in the Civil War with Marius, and profited by the opportunities offered by the war to amass an immense fortune.

Page 76. — 1. **Colombe, si tu n'es pas l'âme,** etc.; in mediaeval representations of the death of saints, the soul leaving the body is often represented by a dove.

2. Fille de Céluta; see note 5 on page 5.

Page 77. — 1. **Saut**; water-fall, a synonym of *chute,* which is the more usual term; its literal meaning is "leap" or "spring," hence it is here appropriately applied to the Niagara.

Page 78. — 1. **Chikassas,** *Chickasaws,* a large tribe of Indians chiefly dwelling in Mississippi.

2. **Nous avons levé les yeux au ciel**; this expression, signifying an appeal for divine aid became a common-place with Alfred de Musset; cf. "pécheur mélancolique il regarde les cieux" (*Nuit de Mai*) "j'ai regardé les cieux" (*Lettre à Lamartine*), etc.

Page 79. — 1. **Chéroquois,** *Cherokees.*

Page 80. — 1. **serpent familier,** tame snake.

Page 81. — 1. **Homme, tu n'es qu'un songe, etc.**; cf. Watts' hymn,

> They fly forgotten, as a dream
> Dies at the opening day,

and Psalm XC, on which it is based.

VOCABULARY

From this vocabulary have been omitted (1) the more common pronouns, and (2) all those words whose spelling and meaning in English are identical with the French.

A

à, at, to, by means of, about.

abaisser, to lower, pull down; **s'—**, to sink down.

abandon, *m.*, unrestraint, abandonment.

abandonner, to abandon.

abattre, to break, beat, blow *or* bring down.

abeille, *f.*, bee.

abîme, *m.*, abyss, gulf.

abondance, *f.*, abundance.

abord, *m.*, access, deportment; **son —**, his manner of receiving (you); **d'—**, at first.

aborder, to approach, land.

aboyer, to bark.

abri, *m.*, shelter.

accabler, to overwhelm, crush.

accepter, to accept.

accompagner, to accompany.

accourir, to run up, hasten.

accoutumer, to accustom; **avoir accoutumé**, to be accustomed to.

accrocher (s'), to cling to, catch hold of.

accroître (s'), to increase.

accumuler, to accumulate.

accuser, to accuse.

achever, to finish: **— de**, *often to be translated* "finally".

activité, *f.*, activity.

admirer, to admire.

adopter, to adopt.

adorer, to adore.

adoucir, to soften.

adresser, to address.

aérien, **-ne**, aerial.

affaiblir, to lessen, grow weak.

affaire, *f.*, affair.

affectueu-x, **-se**, affectionate.

affliger, to afflict.

affreu-x, **-se**, frightful.

afin, **— de**, **— que**, in order to.

âge, *m.*, age, time.

agiter, to agitate.

aide, *f.*, aid.

aider, to aid, assist.

aïeul, *m.*, grandfather.

aïeux, *m. pl.*, ancestors.

aigle, *m.*, eagle.

aiguillon, *m.*, goad, sting.

aile, *f.*, wing.

ailleurs, elsewhere.

aimable, amiable.

aimer, to love, like.

ainsi, thus.

air, *m.*, air, appearance, tune.

aisé, **-e**, easy.

aisément, easily.

ajouter, to add.

albâtre, *m.*, alabaster.

alcée, *f.*, marsh-mallow.

allaiter, to nurse.

aller, to go, walk, be on the

point of; **va bien**, is all right, very well.

alliance, *f.*, alliance.

allié, *m.*, ally.

allonger, to lengthen, extend; — **ses pas**, to hasten, rush along.

allumer, to light.

alors, then.

alteré, –e, thirsty.

altérer, to alter.

amant, *m.*, lover.

ambre, *m.*, amber, ambergris.

âme, *f.*, soul, spirit, heart.

amener, to lead.

ame–r, **–ère**, bitter.

amertume, *f.*, bitterness.

ami, *m.*, friend.

amitié, *f.*, friendship.

amollir, to soften.

amour, *m.*, love; **amours**, *f. pl.*, love-affairs.

an, *m.*, year.

ancien, **–ne**, ancient.

anéantir, to annihilate.

ange, *m.*, angel.

angoisse, *f.*, agony.

animer, to animate.

année, *f.*, year.

annoncer, to announce.

anse, *f.*, creek.

antique, old, ancient.

apaiser, to appease; s' —, to become quiet or calm.

apercevoir, to perceive; s'—, to see, notice, perceive.

apios, *m.*, a leguminous plant, a kind of vetch.

apostolat, *m.*, apostleship.

appareil, *m.*, display, pomp.

apparent, –e, apparent.

appeler, to call.

applaudir, to applaud; s'—, to rejoice, glory in.

apporter, to bring.

apprendre, to learn, teach, tell.

apprêter, to prepare.

approche, *f.*, approach.

approcher, to approach, come near.

appui, *m.*, support, protection.

appuyer, to rest, support.

après, after.

arbitre, *m.*, umpire, arbitrator.

arbre, *m.*, tree.

arc, *m.*, bow; — **en ciel**, rainbow.

arche, *f.*, arch.

ardent, –e, burning, fiery.

ardeur, *f.*, ardor.

arène, *f.*, arena, sand.

argenté, –e, silvery.

argile, *f.*, clay, earth.

aride, arid.

armer, to arm.

arpenteur, *m.*, land-surveyor.

arracher, to snatch, draw from; s'—, to snatch from one another, tear oneself away.

arrêter (s'), to stop.

arrivée, *f.*, arrival.

arriver, to arrive, come to.

arrondir, to round; s'—, **to** become round.

arroser, to water.

asile, *m.*, refuge, asylum.

assaut, *m.*, assault.

assemblée, *f.*, assembly.

assembler, to assemble; **s'—**, to meet, come together.

asseoir (s'), to sit, sit down.

assez, enough, rather.

assiéger, to besiege.

assistance, *f.*, spectators, audience, by-standers.

assister, to assist, be present.

assoupir (s'), to grow drowsy fall asleep.

assurer, to assure, make sure.

astre, *m.*, star.

attacher, to attach, fasten.

atteindre, to attain, reach.

attendre, to await, wait for.

attendrir, to soften, affect; s'— to be touched *or* moved.

attenti–f, **–ve**, attentive.

attirer, to attract, draw.

attrait, *m.*, attraction, charm.

aucun, -e, anyone, none, no one.

au delà, beyond, on the other side.

au-dessous, below.

au-dessus, above.

au devant, before, in front of; aller — de, to go to meet.

augmenter, to increase, grow.

auguste, august.

aujourd'hui, to-day.

auparavant, before.

auprès, nearby; — (de), close to, in comparison to.

aurore, *f.*, dawn; le lever de l'—, the break of day.

aussi, also, too, wherefore, therefore; — . . . que, as . . . as.

aussitôt, at once, immediately.

autant, as much, just as well; d'—, so much.

autel, *m.*, altar.

automne, *m.*, autumn.

autour, around, about.

autre, other.

autrefois, formerly.

autrement, otherwise.

avancer (s'), to advance.

avant, before; — que, before; en —, forward.

avec, with.

aventure, *f.*, adventure; à l'—, at random.

avertir, to warn.

aveu, *m.*, confession.

aveugle, blind.

aveugler, to blind, dazzle.

avoir, to have; y —, to be.

avouer, to confess.

azur, *m.*, azure, blue.

B

baguette, *f.*, stick, rod.

baie, *f.*, bay.

baigner, to bathe.

baiser, to kiss.

baisser, to lower.

balancer, to sway, rock, swing, balance.

balbutier, to stammer.

balle, *f.*, ball.

banc, *m.*, bed, bank (of sand).

bande, *f.*, band, strip.

bander, to bend.

baptême, *m.*, baptism.

baptiser, to baptize.

barbare, *m.*, barbarian.

barbe, *f.*, beard.

barre, *f.*, bar.

barrière, *f.*, barrier.

bas, low; à —, down; au —, at the base, foot (of).

bassin, *m.*, basin.

bâtir, to build.

bâton, *m.*, stick.

battement, *m.*, beating.

battre, to beat.

baume, *m.*, balm.

béant, -e, gaping, yawning.

beau, bel-le, beautiful, handsome.

beaucoup, much, many.

beauté, *f.*, beauty.

bec, *m.*, bill, beak.

bêche, *f.*, spade.

bénignité, *f.*, benignity.

bénir, to bless.

berceau, *m.*, cradle.

bercer, to cradle, lull, delude.

besoin, *m.*, need.

bête, *f.*, animal.

biche, *f.*, hind, roe.

bien, well, indeed, many; — que, although; eh —! well! va —, is all right.

bien, *m.*, property, good.

bien-aimé, -e, well-beloved.

bienfait, *m.*, benefaction.

bienfaiteur, *m.*, benefactor.

bientôt, soon.

bignonia, *f.*, trumpet-flower.

bison, *m.*, bison.

blan–c, –che, white.

blanchir, to make white, whiten.

blasphémateur, *m.*, blasphemer.

blé, *m.*, wheat, grain.

blesser, to wound.

blessure, *f.*, wound.

bleu, –e, blue.

bocage, *m.*, grove.

boire, to drink.

bois, *m.*, wood.

bon, –ne, good.

bondir, to leap, bound.

bonheur, *m.*, good fortune, happiness.

bonté, *f.*, goodness.

bord, *m.*, shore, bank, edge.

border, to border.

borne, *f.*, limit, boundary; mile stone, starting-post; sans –s, unbounded.

borner, to bound, limit.

bouche, *f.*, mouth.

boucle, *f.*, tress, curl.

bouleau, *m.*, birch-tree.

bourbeu–x, –se, muddy.

bourdonnement, *m.*, murmur, hum, buzzing.

bourdonner, to buzz, hum.

bourreau, *m.*, executioner.

bout, *m.*, end; au — de, at the end of.

bouton, *m.*, bud.

bramer, to bellow, bell (deer).

branche, *f.*, branch.

bras, *m.*, arm.

braver, to brave.

brebis, *f.*, sheep.

bréviaire, *m.*, breviary.

brillant, –e, brilliant.

briller, to shine.

brise, *f.*, breeze.

briser, to break.

broder, to embroider.

broussailles, *f. pl.*, briers, brushwood.

brouter, to browse, crop.

broyer, to crush.

bruire, to rustle.

bruissement, *m.*, rustling, murmur.

bruit, *m.*, noise.

brûler, to burn.

bûcher, *m.*, stake.

buffle, *m.*, buffalo.

C

çà et là, here and there.

ça = cela.

cabane, *f.*, cabin, hut.

cacher, to hide.

cadavre, *m.*, dead body.

cadencé, –e, cadenced.

cadre, *m.*, frame.

caille, *f.*, quail.

calculer, to calculate.

calebasse, *f.*, calabash, gourd.

calice, *m.*, chalice.

calmer, *f.*, calm.

calumet, *m.*, calumet, pipe.

campagne, *f.*, field, country.

canal, *m.*, channel.

candeur, *f.*, purity.

canot, *m.*, canoe, boat.

cantique, *m.*, hymn.

capitale, *f.*, capital.

car, for.

caractère, *m.*, character.

carcajou, Labrador badger.

cardinal de feu, *m.*, the cardinal bird (so-called from its red color). [reindeer.

caribou, *m.*, caribou, American

carquois, *m.*, quiver.

carrière, *f.*, career.

castor, *m.*, beaver, castor.

cataracte, *m.*, cataract.

causer, to cause.

cavale, *f.*, mare.

caverne, *f.*, cavern.

ce, cet, cette, ces, this, these.

ceci, this.

céder, to yield, submit.

cèdre, *m.*, cedar.

cela, that.

célébrer, to celebrate.
céleste, celestial.
celui, ceux, celle, celles, he, she, that one; — ci, là, the latter, the former.
cendre, f., ashes.
cent, hundred.
cep, m., vine-stock.
cependant, in the meantime, nevertheless.
cercle, m., circle.
cercueil, m., coffin.
cérémonie, f., ceremony.
cerf, m., stag, deer.
cesse, f., ceasing; sans —, without ceasing, incessantly.
cesser, to stop, cease.
chaîne, f., chain.
chair, f., flesh.
chaque, each.
chaleur, f., warmth, heat.
champ, m., field; sur le —, at once, immediately.
chanceler, to stagger, totter.
changement, m., change.
changer, to change.
chanson, f., song.
chant, m., song.
chanter, to sing.
chapelle, f., chapel.
charger, to load.
charité, f., charity, kindness.
charrier, to carry, bear along.
charrue, f., plow.
chasse, f., chase, hunt.
chasseur, m., hunter.
chasteté, f., chastity.
château, m., castle.
châtiment, m., punishment.
chauve, bald.
chauve-souris, f., bat.
chef, m., head, chief.
chef d'œuvre, m., masterpiece.
chemin, m., road.
cheminer, to walk, proceed.
chêne, m., oak, oak-tree.
chêne-vert, m., evergreen oak.
che-r, –ère, dear.

chercher, to seek.
chérir, to cherish, care for.
chéti-f, –ve, mean, wretched.
chevelure, f., head of hair, hair, scalp; — de flammes, flaming tresses.
chevet, m., pillow, head (of bed).
cheveu, m., hair.
chevreau, m., kid.
chevrette, f., doe, roe.
chevreuil, m., roebuck.
chez, at the house of.
chien, m., dog.
chimère, f., chimera.
chœur, m., choir, chorus.
choisir, to choose.
choix, m., choice.
choquer, to strike, shock; se —, to clash.
chose, f., thing.
chrétien, –ne, Christian.
christianisme, Christianity.
chute, f., fall.
cicatrice, f., scar.
ciel, cieux, m., sky, heaven.
cigogne, f., stork.
cime, f., top, summit.
cimenter, to cement.
cimetière, m., cemetery.
cinq, five.
cinquante, fifty.
circonstance, f., circumstance.
circuler, to circle around, move in a circle.
cité, f., city.
citronnier, m., lemon-tree.
civiliser, to civilize.
clair, m., light; — de la lune, clarté, f., light. [moonlight.
cloche, f., bell.
cloître, m., cloister.
cœur, m., heart.
cognée, f., hatchet.
coin, m., corner.
colère, f., wrath, anger.
colibri, m., humming-bird.
collier, m., necklace, collar.

colline, f., hill.
colombe, f., dove, pigeon.
colonie, f., colony.
colonne, f., column.
coloquinte, f., colocynth, bitter apple.
coloré, –e, colored.
combat, m., struggle.
combien, how many.
comble, m., top; mettre le —, to cap the climax.
combler, to fill, overwhelm, load.
commander, to command.
comme, how, as.
commencer, to begin.
comment, how.
commettre, to commit, entrust to.
commodité, f., convenience.
commun, –e, common.
communiquer, to communicate.
compagne, f., companion.
compatir, to have compassion, sympathize with.
compatissant, –e, pitying, compassionate.
compatriote, m., compatriot.
complaisance, f., kindness.
comprendre, to understand.
compte, m., count, reckoning.
compter, to count.
concevoir, to conceive.
concluer, to conclude.
condamnable, reprehensible, condemnable.
condamner, to condem.
conduire, to lead.
confiance, f., confidence.
confier, to entrust.
confondre, to confuse; se —, to confuse, blend.
confus, –e, confused.
connaître, to know, be acquainted with.
conque, f., sea-shell conch.
consacrer, to consecrate.
conseil, m., council.

consentir, to consent.
conserver, to preserve, keep.
consoler, to console, comfort.
consolider, to consolidate, mass together.
constance, f., constancy.
consulter, to consult.
consumer, to consume.
contempler, to contemplate.
contenir, to contain.
contentement, m., contentment
conter, to relate.
continuel, –le, continual.
continuellement, constantly.
contraindre, to constrain.
contraire, contrary; au —, on the contrary.
contrarier, to contradict, run counter to, thwart.
contraste, m., contrast.
contrat, m., contract, instrument, agreement.
contre, against.
contre-courant, m., counter-current.
contrée, f., district, country.
convaincre, to convince.
convenable, proper, fit for.
convenir, to agree, suit each
converser, to converse. [other.
convoi, m., funeral procession.
convoquer, to convoke.
copalme, m., liquidambar.
coquillage, m., shell.
corbeau, m., crow, raven.
corde, f., cord, rope.
corneille, f., crow.
cornet, m., horn, cornet.
corps, m., body.
corrompre, to corrupt, taint.
côté, m., side: à mes –s, at my side; à — de, at the side of; du —, in the direction of.
coteau, m., hill.
coton, m., cotton.
cou, m., neck.
couchant, m., sun-set, west.
couche, f., bed, resting place;

layer, stratum; par –s, in layers.

coucher (se), to lie down, go to sleep; soleil couchant, setting sun.

coucher, *m.*; — du soleil, sunset.

coude, *m.*, elbow.

couler, to flow.

couleur, *f.*, color.

coup, *m.*, blow, stroke;—sur—, over and over again; tout à —, suddenly, all at once.

coupable, guilty, culpable.

couper, to cut.

cour, *f.*, court.

courant, *m.*, current.

courber (se), to bend, curve.

courir, to run.

couronne, *f.*, crown.

couronner, to crown.

courroux, *m.*, wrath.

cours, *m.*, course, current.

course, *f.*, wandering, travel, trip, journey, running.

court, –e, short.

coûter, to cost,

coutume, *f.*, custom.

couvrir, to cover.

craindre, to fear.

crainte, *f.*, fear.

crâne, *m.*, skull.

créateur, *m.*, creator.

créer, to create.

crème, *f.*, cream.

crépuscule, *m.*, twilight.

creuser, to hollow out, dig.

creux, *m.*, hollow.

crevasse, *f.*, crevice.

cri, *m.*, cry.

croire, to believe; croyez-m'en, take my word for it.

croiser (se), to cross (each other).

croissant, *m.*, crescent.

crosse, *f.*, stick with bent end (used in plowing).

croître, to grow, spring up.

croix, *f.*, cross.

cueillir, to gather.

cuire, to cook.

culte, *m.*, worship.

culture, *f.*, cultivation, tillage, growth.

curieu–x, –se, curious.

curiosité, *f.*, curiosity.

cygne, *m.*, swan.

cylindre, *m.*, cylinder.

cyprès, *m.*, cypress.

cyprière, *f.*, grove of cypress trees.

D

Dame, *f.*, lady, woman.

Dame! *interjec.*, why! indeed, to be sure!

dangereux, –se, dangerous.

dans, in.

danse, *f.*, dance.

davantage, more.

de, of, from, by, with.

déborder, to overflow.

debout, standing.

débris, *m.*, debris, wreck, remains, ruins.

décédé, –e, deceased.

décéler, to disclose, betray.

déchirer, to tear, tear or break open.

décider, to decide.

déclarer, to declare.

décorer, to decorate, embellish.

découverte, *f.*, discovery; à la —, on the look out.

découvrir, to discover, see.

décret, *m.*, decree.

décrire, to describe.

dédaigner, to disdain, scorn.

défaut, *m.*, defect, want.

défendre, to defend, forbid.

défier, to defy.

dégoût, *m.*, disgust.

degré, *m.*, degree.

dehors, *m.*, outside; au —, outside.

déjà, already.

délasser (se), to refresh *or* repose oneself.
délice, *m.*, delight, pleasure.
délicieu-x, -se, delicious.
délivrer, to deliver.
déluge, *m.*, deluge, freshet.
demain, *m.*, to-morrow.
demander, to ask, demand.
démarche, *f.*, step, gait.
démentir, to belie, give the lie to.
démesuré, -e, unbounded.
demeure, *f.*, dwelling.
demeurer, to remain.
demi, -e, half; à —, half.
dénouer, to unfasten, untie.
dent, *f.*, tooth.
départ, *m.*, departure.
dépérir, to waste, pine away.
déployer, to unfold.
déposer, deposit, set down.
dépouille, *f.*, spoil, remains.
dépouillé, -e, leafless, despoiled.
depuis, since; — peu, a short time before, lately.
déraciner, to uproot.
dernie-r, -ère, last.
dérober, to rob, take from.
dérouler, to unroll, unfold.
derrière, behind, back of.
dès, from, since, as early as.
descendre, to descend.
désespérer, to despair.
désespoir, *m.*, despair.
déshonneur, *m.*, dishonor.
désigner, to appoint, design.
désirer, to desire.
désolé, -e, disconsolate, sad, sorry.
désordre, *m.*, disorder.
dessécher, to dry up.
dessein, *m.*, design, plans.
dessiner, to draw, sketch.
dessous, beneath, below; en —, underneath.
destin, *m.*, destiny.
destinée, *f.*, destiny.
destiner, to destine.

détacher, to detach.
détour, *m.*, turn, way around, bend.
détourner, to turn.
détremper, to wet, soak.
détruire, to destroy.
deuil, *m.*, mourning.
deux, two.
devancer, to go before.
devant, before.
devenir, to become.
devoir, to owe, must, should; nous avons dû, we must have; j'ai dû, I have had to.
dévorer, to devour.
dévouer, to devote.
dieu, *m.*, God.
difficilement, with difficulty.
digne, worthy.
diminuer, to diminish.
dinde, *f.*, turkey.
dire, to say.
diriger, to direct; se —, to guide oneself.
discours, *m.*, talk, discourse.
disparaître, to disappear.
disperser, to disperse, scatter.
disposer, to arrange, prepare, dispose.
disputer, to dispute; le — à, to vie with.
dissiper, to dissipate.
dissoudre (se), to dissolve.
distinguer, to distinguish.
distraire, to divert, distract, turn aside.
distribuer, to distribute.
divers, -e, different.
divin, -e, divine.
diviser, to divide.
dix, ten.
dix-huit, eighteen.
dix-sept, seventeen.
dix-septième, seventeenth.
dogue, *m.*, dog, mastiff.
doigt, *m.*, finger.
dôme, *m.*, dome.
dominer, to dominate.

dommage, *m.,* damage; **quel —,** what a pity!

dompter, to tame, subdue.

don, *m.,* gift.

donc, then.

donner, to give.

dont, of which, whom.

doré, -e, gilded, golden.

dormir, to sleep.

dos, *m.,* back.

douceur, *f.,* sweetness.

douleur, *f.,* sorrow, grief.

doute, *m.,* doubt; **sans —,** doubtless.

dou-x, -ce, sweet, gentle.

drama, *m.,* drama.

draperie, *f.,* drapery.

dresser (se), to rise up; **— sur son séant,** to sit up.

droit, *m.,* right.

droite, *f.,* right hand *or* side.

dû, *p. p.* of **devoir.**

durant, during.

durée, *f.,* duration.

durer, to last.

E

eau, *f.,* water.

ébène, *f.,* ebony.

ébranler, to shake.

écarter, to keep away, remove.

échapper, to escape.

échevelé, -e, with dishevelled hair.

échouer, to run aground.

éclair, *m.,* lightning, flash.

éclairer, to illuminate, enlighten.

éclatant, -e, bright, brilliant.

éclater, to burst, break forth.

économie, *f.,* economy; **— sociale,** political economy.

écorce, *f.,* bark.

écouler (s'), to pass away.

écouter, to hear, listen to.

écrier, to cry.

écrire, to write.

écrouler (s'), to fall, give way.

écumant, -e, foaming.

écume, *f.,* foam.

écureuil, *m.,* squirrel.

effacé, -e, effaced, faded.

effet, *m.,* effect; **en —,** in fact, indeed.

effrayer, to frighten.

également, equally.

égaliser, to make equal.

égalité, *f.,* equality.

égaré, -e, strayed, wandering, wild.

égarer, to lead astray.

église, *f.,* church.

élan, *m.,* elk, moose; deer.

élancer (s'), to dart, shoot.

élever, to raise; **s' —,** to rise.

éloigner, to put *or* keep away; **s' —,** to withdraw, recede, appear in the distance.

embarquer (s'), to embark.

embaumer, to embalm, perfume.

embouchure, *f.,* mouth.

embrasé, -e, burning, fiery.

embrasement, conflagration.

embraser (s'), to take fire.

embrassement, *m.,* embrace.

embrasser, to embrace.

empaillé, -e, stuffed.

emparer (s'), to take possession of, seize.

empêcher, to hinder; **s'—,** to help, keep from.

empire, *m.,* empire, rule.

emportement, *m.,* transport, fit of passion.

emporter, to carry away.

empourpré, -e, purple.

ému, -e, moved, agitated.

en, in, into, like, as a.

en *pron.,* of him (her, it, them), thence, from him (her, it, them).

enceinte, *f.,* enclosure.

encens, *m.,* incense.

enchaîner, to chain, bind together.

enchantement, *m.,* enchantment.

enchanter, to enchant, charm.
encore, still, again.
encourager, to encourage.
endormi, –e, asleep.
endormir (s'), to fall asleep.
endroit, *m.*, place, region.
enduire, to coat over.
endurer, to endure, bear.
enfance, *f.*, childhood, infancy.
enfant, *m.*, child.
enfer, *m.*, hell.
enfin, at last.
enfler (s'), to swell.
enfoncer, to drive in, sink, thrust.
engager, to press, persuade, urge; s'—, to agree.
engloutir, to swallow up.
engourdissement, *m.*, numbness, torpor.
engraisser, to fertilize.
enivrer, to intoxicate.
enlever, to carry away, remove, take.
ennemi, enemy.
énorme, enormous.
ensanglanter, to stain with blood.
enseigner, to teach.
ensemble, together.
ensevelir, to bury.
ensuite, afterwards, then, next.
entendre, to hear.
enterrer, to entomb, bury.
entie–r, –ère, entire.
enthousiasme, *m.*, enthusiasm.
entonner, to strike up, sing.
entortiller, to wind, entangle; s'—, to twine, wind around.
entourer, to surround.
entraîner, carry, drag, bear *or* draw away, to lead away.
entraver, to fetter, impede, clog.
entre, between, among.
entrecouper, to interrupt.
entrée, *f.*, entrance.
entrelacer (s'), to entwine.
entreprendre, to undertake.
entrer, to enter.

entretenir, to keep, maintain.
entrevoir, to catch a glimpse of.
entr'ouvert, –e, half-open.
enveloppe, *f.*, envelope, cover.
envelopper, to envelop.
envers, toward.
envie, *f.*, desire, envy.
environner, to surround.
épais, –se, thick.
épaisseur, *f.*, thickness, density.
épanchement, effusion, out-pouring.
épargner, to spare.
épaule, *f.*, shoulder.
épervier, *m.*, sparrow hawk.
éphémère, *m.*, ephemera, day-fly.
épi, *m.*, ear (of corn).
épine, *f.*, thorn.
éponge, *f.*, sponge.
épouse, *f.*, wife, spouse.
épouvantable, frightful.
épouvanter, to frighten.
époux, *m.*, husband.
éprouver, to experience, try, put to test.
épuiser, to exhaust.
érable, *m.*, maple.
ermite, *m.*, hermit.
errant, –e, wandering.
errer, to wander.
erreur, *f.*, error.
escalader, to scale.
esclavage, *m.*, slavery.
esclave, *m.*, slave.
escorter, to escort.
espagnol, –e, Spanish.
espèce, *f.*, kind, sort.
espérance, *f.*, hope.
espérer, to hope.
esprit, *m.*, spirit.
esquine, *f.*, china-root.
essayer, to try, attempt.
essuyer, to dry, wipe.
est, *m.*, east.
établir, to establish.
étager, to place in rows, one above the other.
état, *m.*, state.

été, *m.*, summer.
éteindre, to extinguish; s' —, to go out, die out *or* away.
éteint, –e, extinguished, dull, dimmed.
étendre, to extend; s'—, to stretch out, extend.
étendue, *f.*, extent.
éternel, –le, external.
étincelle, *f.*, spark.
étinceler, to sparkle.
étoile, *f.*, star.
étonnement, astonishment.
étonner, to astonish.
étrange, strange.
étranger, *m.*, foreigner, stranger.
être, *m.*, being.
être, to be; il est, there is *or* are; il n'en est pas ainsi de —, it is not the same with.
étroitement, closely.
européen, –ne, European.
évangile, *m.*, Gospel.
évangélique, evangelical.
évanouir (s'), to vanish.
éveiller, to awaken, rouse.
éventail, *m.*, fan.
évoquer, to evoke.
exalter, to exalt.
examiner, to examine.
excès, *m.*, excess.
exemple, *m.*, example.
exhaler, to exhale.
exhorter, to exhort.
exhumer, to exhume.
exiger, to exact.
exil, *m.*, exile.
exiler, to exile.
exister, to exist.
expirer, to expire.
exposer, to expose, explain, tell.
exprimer, to express.
extase, *f.*, ecstasy.
extraordinaire, extraordinary.
extrémité, *f.*, extremity.

F

face, *f.*, face; faire — à, to face, front.
facilement, easily.
faible, feeble, weak.
faiblement, weakly, feebly.
faiblesse, *f.*, weakness.
faire, to make, do; en etre fait de, to be over with; ne — que, only.
faisan, *m.*, pheasant.
falaise, *f.*, steep bank, cliff.
falloir, to be necessary, must.
fameu–x, –se, famous.
familie–r, –ère, familiar, friendly.
famille, *f.*, family.
fané, –e, faded.
fantôme, *m.*, phantom.
faon, *m.*, fawn.
fardeau, *m.*, burden.
faséole, *f.*, " phasel," French *or* kidney bean.
fatiguer, to fatigue, tire.
faute, *f.*, fault.
fau–x, –sse, false.
faveur, *f.*, favor.
favoriser, to favor.
femme, *f.*, woman.
fendre, to cleave.
fer, *m.*, iron; — à cheval, horseshoe; –s, *pl.*, chains, irons.
fermer, to close.
féroce, wild, savage.
fertiliser, to fertilize.
fête, *f.*, festival, feast.
festin, *m.*, festival.
festonner, to festoon.
feu, *m.*, fire; mettre le —, to set on fire.
feuillage, *m.*, foliage.
feuille, *f.*, leaf.
fidèle, faithful.
fidélité, *f.*, fidelity.
fie–r, –ère, proud.
fierté, *f.*, pride, dignity.
fièvre, *f.*, fever.

figuier, *m.*, fig-tree.
filer, to spin.
filet, *m.*, string, fibre, net, snare, thin slice (of meat).
fille, *f.*, girl, daughter.
fils, *m.*, son, boy.
filtrer, to filter.
finir, to finish.
fixer, to fix.
flamant, *m.*, flamingo.
flambeau, *m.*, torch.
flamme, *f.*, flame.
flanc, *m.*, side, flank.
flatter, to flatter; se —, to flatter oneself.
flèche, *f.*, arrow.
flétrir, to fade, wither.
fleur, *f.*, flower.
fleur-de-lis, *m.*, flower-de-luce.
fleuri, -e, flowery, in blossom.
fleuve, *m.*, river.
flot, *m.*, flood, wave.
flotte, *f.*, fleet.
flotter, to float.
foi, *f.*, faith.
fois, *f.*, time; à la —, at the same time; encore une —, once more.
follement, foolishly.
folie, *f.*, foolishness, folly.
fond, *m.*, depth, bottom, background, interior, further end; au —, within; au — de, at the bottom of.
fondre, to melt, burst.
fondrière, *f.*, quagmire, bog.
fontaine, *f.*, fountain.
force, *f.*, strength, power; à — de, by dint of.
forcer, to force.
forêt, *f.*, forest.
forge, *f.*, forge, iron works.
forme, *f.*, form.
former, to form.
fort, -e, forcible, strong; *adv.*, very.
fortement, strongly.
fosse, *f.*, grave.

foudre, *f.*, thunder-bolt, lightning.
foudroyant, -e, terrible, crushing.
fougueu-x, -se, fiery, spirited
foule, *f.*, crowd.
fournir, to furnish.
foyer, *m.*, hearth, fireside.
fracas, *m.*, crash, noise.
fragilité, *f.*, fragility, frailty.
fraîchement, freshly.
fraîcheur, *f.*, coolness, freshness.
fraise, *f.*, strawberry.
framboise, *f.*, raspberry.
framboisier, *m.*, raspberry-bush.
frapper, to strike.
frayeur, *f.*, fright, terror, dread.
frémir, to tremble.
frêne, *m.*, ash-tree.
frère, *m.*, brother.
frivole, frivolous.
froid, *m.*, cold; avoir —, to be cold.   [ing.
froissement, *m.*, clashing, rustl-
front, *m.*, brow, forehead, face.
frotter, to rub.
fuir, to flee, escape.
fuite, *f.*, flight.
fumée, *f.*, smoke.
fumer, to smoke.
funèbre, funeral.
funérailles, *f. pl.*, funeral.
funeste, fatal, sad.
furieu-x, -se, furious.
furtivement, secretly.
fuyard, *m.*, runaway, fugitive.

G

gage, *m.*, pledge.
gagner, to gain.
gaieté, *f.*, gaiety.
galère, *f.*, galley, den, prison.
garantir, to protect.
garde, *f.*, guard, care; se donner — de, to take care not to.

garder, to guard, keep.
gardien, *m.*, guardian.
garnir, to garnish.
gâteau, *m.*, cake.
gauche, *f.*, left hand, left side.
gaule, *f.*, long pole, switch.
gazon, *m.*, turf, grass.
geai, *m.*, jay.
gémir, to groan, moan.
gêner, to constrain, hinder, embarrass.
généreu–x, –se, generous.
génie, genius, spirit.
genou, *m.*, knee.
gentil, *m.*, Gentile.
gerbe, *f.*, sheaf, bundle.
geste, *m.*, gesture, motion.
giraumont, *m.*, pumpkin.
glace, *f.*, ice.
glacé, –e, icy, frozen.
glacer, to freeze.
gland, *m.*, acorn.
glisser (se), to slip, creep, glide.
gloire, *f.*, glory.
golfe, *m.*, gulf.
gomme, *f.*, gum.
gonfler, to swell.
gorge, *f.*, throat.
gouffre, *m.*, gulf, whirl-pool.
goût, *m.*, taste, desire.
goûter, to taste, enjoy.
goutte, *f.*, drop.
gouverner, to govern.
grâce, *f.*, grace, charm.
gradin, *m.*, step, seat.
graduellement, gradually.
grain, *m.*, grain, bead, berry.
graine, *f.*, seed, berry.
grand, –e, great.
grandeur, *f.*, grandeur.
grappe, *f.*, bunch, cluster.
graver, to engrave, cut.
gravir, to climb, clamber.
gris, –e, grey; — de perle, pearl-grey.
grenier, *m.*, granary.
grimper, to climb.
gronder, to growl, rumble.

gros, –se, great, large, stout.
grosseur, *f.*, size.
grossie–r, –ère, coarse, rough, rude.
grotte, *f.*, grotto.
grouper, to group.
guérir, to cure.
guerre, *f.*, war.
guerrier, *m.*, warrior.
guider, to guide.
guirlande, *f.*, garland.

H

habile, skillful.
habit, *m.*, coat, dress; –s, clothes.
habitant, *m.*, inhabitant.
habiter, to inhabit, live in.
habitude, *f.*, habit.
haïr, to hate.
haleine, *f.*, breath.
haleter, to pant.
hardiesse, *f.*, boldness.
harmonie, *f.*, harmony.
harmonieu–x, –se, harmonious.
hasarder, to hazard.
hâter, to hasten.
haut, –e, high; — Canada, upper Canada; le Très —, The Most High.
hauteur, *f.*, height.
hymne, *m.*, hymn.
hélas, alas!
hennissement, *m.*, neighing.
herbe, *f.*, grass.
hérisser (se), to stand on end (of hair).
hermine, *f.*, ermine.
héroïsme, *m.*, heroism.
héros, *m.*, hero.
hésiter, to hesitate.
heure, *f.*, hour.
heureu–x, –se, happy.
hibou, *m.*, owl.
hier, yesterday.
histoire, *f.*, story.

hiver, *m.*, winter.
holocauste, *m.*, holocaust, sacrifice.
homme, *m.*, man.
honnête, honest.
honneur, *m.*, honor.
honorer, to honor.
honte, *f.*, shame, modesty; avoir —, to be ashamed.
horreur, *f.*, horror.
hors, except, beyond, beside.
hospitalité, *f.*, hospitality.
hostie, *f.*, host (in sacrament).
hôte, *m.*, host, guest.
hôtellerie, *f.*, inn, hostelry.
huile, *f.*, oil.
huit, eight.
humain, –e, human.
humecter, to moisten.
humide, damp, wet.
humilier, to humble.
hurlement, *m.*, howling, yelling.
hurler, to howl.
hutte, *f.*, hut.

I

ici, here; — bas, here below.
idée, *f.*, idea.
idolâtre, *m.*, idolater; *adj.*, idolatrous.
ignorer, to be ignorant of.
île, *f.*, island.
illuminer, to illuminate.
imiter, to imitate.
immobile, motionless.
immoler, to sacrifice.
immortel, –le, immortal.
impatiemment, impatiently.
impétueu-x, –se, impetuous, violent.
impie, impious, godless.
implorer, to implore.
imposant, –e, imposing.
imposer, to lay.
inaltérable, unalterable.
incendie, *m.*, conflagration.

incliner, to bend ; s'—, to bow.
inconnu, –e, unknown.
inconstance, *f.*, inconstancy.
inconvénient, *m.*, inconvenience, disadvantage.
inculte, uncultivated.
indépendance, *f.*, independence.
indéterminé, –e, undecided, dimly outlined.
Indien, *m.*, Indienne, *f.*, Indian.
indigne, unworthy.
indigo, *m.*, indigo.
inébranlable, firm, steadfast.
inespéré, –e, unhoped for.
infatigable, indefatigable.
inférieur, –e, inferior, smaller.
infini, –e, infinite.
infirmité, *f.*, infirmity.
informer, to inform; s'—, to inquire.
infortuné, *m.*, unfortunate one.
infortuné, –e, unfortunate.
infortune, *f.*, misfortune.
inhumer, to inter, bury.
inondation, *f.*, inundation.
inonder, to overflow.
inquiétude, *f.*, uneasiness, anxiety.
insensé, –e, mad, stupid.
inspiré, –e, inspired.
instant, *m.*, instant, moment; à la —, instantly.
instruire, to instruct; s'—, to instruct oneself, find out.
interdit, –e, amazed, thunderstruck.
intéresser, to interest.
intérêt, *m.*, interest.
interpréter, to interpret.
interroger, to question.
interrompre, to interrupt.
intervalle, interval ; par –s, at intervals.
inutilité, *f.*, uselessness.
inventer, to invent.
inviter, to invite.
involontaire, involuntary.
invoquer, to invoke.

irriter, to irritate.
isoler, to isolate.
ivresse, *f.*, intoxication.

J

jadis, formerly.
jaillir, to spring forth, gush.
jalousie, *f.*, jealousy.
jamais, never.
jambon, *m.*, ham.
jasmin, *m.*, jasmine.
jaune, yellow.
jeter, to throw.
jeu, *m.*, game, play, sport.
jeune, young.
jeûne, *m.*, fast, fasting.
jeunesse, *f.*, youth.
joie, *f.*, joy.
joindre, to join, unite.
jongleur, *m.*, juggler, medicine man.
joue, *f.*, cheek.
jouer, to play.
jouet, *m.*, sport, toy.
jouir, to enjoy.
jour, *m.*, day, light; à —, open, embroidered; au grand —, in broad day-light.
journée, *f.*, day.
joyeu-x, -se, joyous.
juger, to criticise, judge.
juif, Jew.
jurer, to swear.
jusque, as far as, until; — ici, up to the present; — là, up to then.
juste, just.

L

là, there; — bas, yonder; — dessus, thereupon; — dedans, therein.
labeur, *m.*, labor.
labour, *m.*, tillage, ploughing; crosse de —, bent stick used in ploughing.

laboureur, *m.*, ploughman, husbandman.
lac, *m.*, lake.
lâche, cowardly.
laine, *f.*, wool.
laisser, to allow, let.
lait, *m.*, milk.
lancer, to dart, cast, throw.
langage, *m.*, language.
langue, *f.*, tongue.
langueur, *f.*, languor.
languir, to languish.
lanterne, *f.*, lantern.
larme, *f.*, tear.
lasser, to tire, weary; se —, to grow *or* get tired.
latéral, -e, lateral, side.
laurier, *m.*, laurel.
laver, to wash.
lég-er, -ère, light, easy.
légèrement, lightly.
législat-eur, *m.*, -rice, *f.*, legislator.
lendemain, *m.*, next day.
lentement, slowly.
lenteur, *f.*, slowness.
levant, *m.*, east.
lever, *m.*, rising (of sun).
lever (se), to get up, rise.
lèvre, *f.*, lip.
liane, *f.*, tropical climber *or* bindweed.
liaison, *f.*, tie, union, connection.
libératrice, *f.*, liberator.
liberté, *f.*, liberty.
libre, free.
lien, *m.*, tie, bond.
lier, to bind.
lierre, *m.*, ivy.
lieu, *m.*, place.
lieue, *f.*, league.
limite, *f.*, limit, boundary.
limon, *m.*, slime, mud.
limoneux, -se, slimy.
limpide, clear.
lin, *m.*, flax, linen.
lire, to read.

lis, *m.*, lily; **fleur-de-lis**, flower-de-luce.

lit, *m.*, bed.

livre, *m.*, book.

livrer, to give over, deliver.

loin, far; **au —**, in the distance.

lointain, -e, far away.

lointain, *m.*, distance.

long, -ue, long; **à la longue**, in the long run; **le long**, along.

longtemps, long, a long time; **il y a —**, long time ago.

lorsque, when.

losange, *m.*, lozenge, zig-zag.

louange, *f.*, praise.

lourd, -e, heavy.

louer, to praise.

loup, *m.*, wolf.

lumière, *f.*, light, judgment; **-s**, *pl.*, intelligence.

lueur, *f.*, glimmer, gleam, light.

lune, *f.*, moon.

lutter, to struggle.

M

magique, magic.

magnifique, magnificent.

magnanime, magnanimous.

maigre, thin.

main, *f.*, hand.

maintenant, now.

maintenir, to maintain.

mais, but.

maïs, *m.*, Indian corn, maize.

maître, *m.*, teacher, master.

maîtresse, *f.*, mistress.

majesté, *f.*, majesty.

mal, badly, poorly.

mal, *m.*, trouble, evil.

maladie, *f.*, malady.

malédiction, *f.*, curse.

malgré, in spite of.

malheur, *m.*, misfortune, ill-luck.

malheureu-x, -se, unhappy.

manger, to eat.

manière, *f.*, manner.

manifester, to manifest.

manque, *m.*, lack.

manquer, to lack, want; **en —**, not to have.

manteau, *m.*, cloak.

marais, *m.*, marsh.

marbré, -e, marbled, veined.

marche, *f.*, walk, journey, march.

marcher, to walk, march.

marécageu-x, -se, marshy, boggy.

mariage, *m.*, marriage.

marier (se), to marry.

marque, *f.*, mark, sign.

marquer, to mark.

martre, *f.*, marten.

massif, *m.*, grove, cluster of trees.

mât, *m.*, mast.

maternel, -le, maternal.

maternité, *f.*, maternity.

matière, *f.*, matter.

matin, *m.*, morning.

matinal, -e, early, morning.

matrone, *f.*, matron.

mausolée, *m.*, mausoleum.

mauvais, -e, bad.

mauve, *f.*, marsh-mallow.

méchant, -e, bad, wicked.

mélancolie, *f.*, melancholy.

mélange, mixture, blending.

mêler (se), to mingle, mix.

même, same, even; **de —**, likewise.

mémoire, *f.*, memory.

ménacer, to threaten.

ménage, *m.*, housekeeping.

mentir, to lie, tell falsehood.

méprisé, -e, despised.

mépriser, to despise.

mer, *f.*, sea.

merci, *f.*, mercy; thanks.

mère, *f.*, mother.

méridional, -e, of the south, southern.

mériter, to deserve.

merveille, *f.*, marvel.
merveilleu-x, -se, marvellous.
mesure, *f.*, measure; à — que, in proportion as.
mesurer, to measure.
mettre, to set, place, bring
meuglement, *m.*, lowing, bellowing.
midi, *m.*, noon, mid-day, south.
milieu, *m.*, middle.
mille, thousand.
misère, *f.*, misery, poverty.
miséricorde, *f.*, pity, compassion.
missionnaire, *m.*, missionary.
mobile, movable.
mobilité, mobility, fickleness.
mocassin, *m.*, moccasin, Indian shoe.
modèle, *m.*, model.
modestement, modestly.
mœurs, *f. pl.*, customs, manners, habits.
moindre, less; le —, the least.
moins; du —, at least . . .
moisson, *f.*, harvest.
moitié, *f.*, half; à —, half.
monde, *m.*, world.
monotone, monotonous.
monstre, *m.*, monster.
mont, *m.*, mountain.
montagne, *f.*, mountain.
monter, to mount, rise up.
montrer, to show.
mort, *f.*, death.
mortel, -le, mortal.
mot, *m.*, word.
mouche, *f.*, fly.
mouiller, to wet.
mourir, to die.
mousse, *f.*, moss.
mouvement, *m.*, movement.
moyen, *m.*, means.
muet, -te, mute, silent.
mugir, to roar, bellow.
mugissement, *m.*, bellowing.
multiplier, to multiply.
mur, *m.*, wall.

mûrier, *m.*, mulberry tree.
murmure, *m.*, murmur.
murmurer, to murmur.
museau, *m.*, muzzle, snout.
musque, *see* rat.
mutiler, to mutilate, deform.
mutuel, -le, mutual.
mystère, *m.*, mystery.
mystérieu-x, -se, mysterious.

N

nage, *f.*, swimming; à la —, swimming.
naissance, *f.*, birth.
naissant, -e, rising, growing.
naître, to be born.
naïveté, *f.*, artlessness, ingenuousness.
nappe, *f.*, sheet.
natal, -e, native.
natte, *f.*, mat.
naturel, -le, natural.
naturellement, naturally.
naufrage, *m.*, shipwreck.
navré, -e, wounded, stung.
ne, not; — que, only.
nécessaire, necessary.
neige, *f.*, snow.
nénuphar, *m.*, water-lily.
néophyte, *m.*, neophyte.
nez, *m.*, nose.
ni, neither.
nicher, to nest, lodge.
nid, *m.*, nest.
noces, *f. pl.*, nuptials, wedding.
noir, -e, black.
noirci, -e, blackened.
noix, *f.*, nut.
nom, *m.*, name.
nombre, *m.*, number.
nombreu-x, -se, numerous.
nommer, to name; se —, to be named.
non, not, no.
nonpareille, *f.*, a tropical bird, a kind of finch.

nord, *m.,* north.
nourrir, to nourish, feed, bring up.
nourriture, *f.,* nourishment, food.
nouveau, nouvel, –le, new; **—né,** newly born, young child; **de —,** anew, another time.
nouvelle, *f.,* news, tidings.
nouvellement, newly, lately.
noyau, *m.,* stone, kernel.
noyer, *m.,* walnut tree.
noyer, to drown.
nu, –e, bare.
nuage, *m.,* cloud.
nudité, *f.,* nakedness.
nue, *f.,* cloud.
nuit, *f.,* night.
nul, –le, no one, none; **–le part,** nowhere.

O

obéir, to obey.
objet, *m.,* object, thing.
obliger, to oblige.
obscurité, *f.,* obscurity.
obstiner (s'), to be obstinate.
obtenir, to obtain.
occasionner, to occasion.
occident, *m.,* west.
occidental, –e, western.
occuper, to occupy; **s'—,** to occupy oneself.
odieu–x, –se, odious.
odorant, –e, odorous.
œil (*pl.* **yeux**), *m.,* eye.
œuvre, *f.,* work.
offenser, to offend.
offre, *f.,* offer.
offrir, to offer.
oiseau, *m.,* bird; **— moqueur,** mocking-bird; **— de passage,** migratory bird.
oisi–f, –ve, idle.
ombre, *f.,* shadow, shade.
onction, *f.,* unction.
onde, *f.,* wave.

onze, eleven.
opposé, –e, opposite.
or, now.
or, *m.,* gold.
orage, *m.,* storm.
oraison, *f.,* speech, oration, prayer; **— funèbre,** funeral oration.
orbe, *m.,* orb.
ordinairement, ordinarily.
ordonner, to order.
ordre, *m.,* order; **par —,** regularly.
oreille, *f.,* ear.
oreiller, *m.,* pillow.
orgue, *f.,* organ.
orgueil, *m.,* pride, haughtiness.
orient, *m.,* east.
origine, *f.,* origin.
orme, *m.,* elm-tree.
ormeau, *m.,* young elm.
orner, to adorn.
orpheline, *f.,* orphan.
os, *m.,* bone.
osselet, *m.,* small bone; **–s,** *pl.,* knuckle bones (game).
ossements, *m. pl.,* bones.
oser, to dare.
ôter, to take away, remove.
oublier, to forget.
ou, or.
où, where.
oui, yes.
ours, *m.,* bear.
ouvert, –e, open, frank.
ouverture, *f.,* opening.
ouvrage, *m.,* work.
ouvrier, *m.,* workman.
ouvrir, to open, uncover.

P

païen, *m.,* pagan.
pain, *m.,* bread.
paisible, peaceful.
paix, *f.,* peace.
palais, *m.,* palace.
palmier, *m.,* palm-tree.

palpiter, to throb, beat.
pan, *m.*, part, piece, side.
panser, to dress.
papillon, *m.*, butterfly.
par, by.
paraître, to appear.
parce que, because.
parcourir, to wander over, run over.
pardessus, above, over.
pardonner, to pardon.
pareil, –le, like; un —, such a.
parer, to adorn, deck.
parfait, –e, perfect.
parfaitement, perfectly.
parfum, *m.*, perfume.
parfumer, to perfume.
parler, to speak.
parmi, among.
parole, *f.*, word; prendre la —, to address the meeting, begin to speak.
part, part; de toutes –s, on all sides; faire —, inform acquaint with, impart.
parti, *m.*, party.
participer, to participate.
particulie–r, –ère, particular.
partir, to part, depart.
partout, everywhere.
parure, *f.*, dress, ornament.
parvenir, to succeed.
pas, *m.*, step.
pas, not.
passager, *m.*, passenger.
passage–r, –ère, passing, transient.
passer, to pass, go beyond, exceed; se —, to take place, do without.
passereau, *m.*, sparrow.
passionné, –e, passionate, impassioned.
pasteur, *m.*, pasteur.
patriarche, patriarch.
patrie, *f.*, country, fatherland.
paupière, *f.*, eyelid.
pauvre, poor.

pavillon, *m.*, flag, pavilion.
pays, *m.*, country.
peau, *f.*, skin.
pêche, *f.*, peach.
peindre, to paint.
peine, *f.*, trouble, pain; à —, scarcely.
pêle-mêle, pell-mell.
penché, –e, bent, leaning.
pencher, to bend.
pendant, during.
pendre, to hang.
pénétrer, to penetrate.
pénible, painful, wearisome; sueur —, perspiration caused by pain.
pennache, *m.*, plumes, plumage.
pensée, *f.*, thought.
pente, *f.*, slope, declivity.
percer, to pierce.
perdre, to lose.
père, *f.*, father.
périr, to perish.
perle, *f.*, pearl.
permettre, to permit.
pernicieu–x, –se, pernicious.
perpendiculaire, perpendicular.
perpétuel, –le, perpetual.
perroquet, *m.*, parrot.
perruche, *f.*, parrot.
persécuter, to persecute.
persécuteur, *m.*, persecutor.
personnage, *m.*, person.
personne, *f.*, person; *pron.*, no one.
perspective, *f.*, prospect, view.
persuader, to persuade.
perte, *f.*, loss: à — de vue, as far as eye can reach.
pesant, –e, heavy, dull.
pétiller, to sparkle, crackle.
petit, –e, little, small.
peu, few, little; — de chose, insignificant, of little account.
peuple, *m.*, people.
peut-être, perhaps.
physionomie, *f.*, face, look.
pied, *m.*, foot.

pierre, *f.*, stone, rock.
pilier, *m.*, pillar, post.
pin, *m.*, pine-tree, pine.
piquer, to sting, bite.
piquet, *m.*, stake.
pirogue, *f.*, canoe.
pitié, *f.*, pity; faire —, to excite pity.
pittoresque, picturesque.
pivert, *m.*, wood-pecker.
place, *f.*, place.
placer, to place.
plaie, *f.*, wound.
plaindre, to pity; se —, to complain.
plaine, *f.*, plain.
plainte, *f.*, sigh, lamentation, complaint.
plainti–f, –ve, plaintive.
plaire, to please; se —, to delight, take pleasure (in).
plaisant, –e, pleasant, funny, laughable.
plaisir, *m.*, pleasure.
planer, to hover.
plante, *f.*, plant.
planter, to plant.
plein, –e, full.
plénitude, *f.*, plenitude.
pleurs, *m. pl.*, tears.
plier, to bend.
plonger, to plunge.
pluie, *f.*, rain.
plume, *f.*, feather.
plupart; la —, most.
plus, more; ne —, no longer; au —, at the most; de —, besides.
plusieurs, several.　　　[than.
plutôt, rather; — que, sooner
poche, *f.*, pocket.
poète, *m.*, poet.
poids, *m.*, weight.
poil, *m.*, hair, bristle.
poing, *m.*, fist.
point; ne —, not.
point, *m.*, point; au — du jour, at day-break.

pointe, *f.*, point.
poisson, *m.*, fish.
poitrine, *f.*, breast.
poli, –e, polished.
polir, to polish.
politesse, *f.*, courtesy.
politique, *f.*, politics.
pomme, *f.*, apple.
pompe, *f.*, ceremony.
pompeu–x, –se, pompous.
pont, *m.*, bridge.
porcelaine, *f.*, porcelain.
porc-épic, *m.*, porcupine.
porte, *f.*, door.
porter, to bear, bring, advance, incline.
portique, *m.*, portico.
posséder, to possess.
postérité, *f.*, posterity.
poteau, *m.*, post.
poupe, *f.*, stern.
pour, for.
pourquoi, why.
poursuivre, to pursue.
pourtant, nevertheless.
pourvu que, provided.
pousser, to push, drive, utter, urge.
poussière, *f.*, dust.
pouvoir, to be able.
pouvoir, *m.*, power.
précéder, to precede.
prêcher, to preach.
précieu–x, –se, precious.
précipitamment, suddenly.
précipité, –e, hasty, hurried.
précipiter, to precipitate, haste, plunge; se —, to rush, throw oneself.
prédire, to predict.
préférer, to prefer.
premie–r, –ère, first, former.
prendre, to take; se —, to begin.
préparati–f, –ve, preparative.
préparer, to prepare.
près, near, on the point of; de —, near, close.

présage, *m.*, presage, omen.
présenter, to present, introduce; se —, present oneself, appear.
présent; à —, now, at present.
presque, almost.
presser, to press, squeeze; se —, to throng, press.
prêt, -e, ready.
prétendre, to aspire to, intend, wish.
prêter, to lend; — l'oreille, to listen, lend an ear.
prêtre, *m.*, priest.
prévoir, to forsee.
prier, to pray.
prière, *f.*, prayer.
primiti-f, -ve, primitive.
printemps, *m.*, spring.
prisonnier, *m.*, prisoner.
prix, *m.*, price.
prochain, -e, next.
prodiguer, to lavish.
produire, to produce.
produit, *m.*, product.
profiter, to profit.
profond, -e, profound.
profondément, profoundly.
profondeur, *f.*, depth.
proie, *f.*, prey.
projet, *m.*, project.
prolonger, to prolong.
promenade, *f.*, walk.
promener (se), to walk, move.
promettre, to promise.
promontoire, *m.*, promontory.
prononcer, to pronounce.
propos, *m.*, thing said, talk, conversation.
proposer, to propose.
propre, own.
propriété, *f.*, property.
prosterner, to prostrate.
protecteur, *m.*, protector.
protester, to protest.
provoquer, to provoke.
prunier, *m.*, plum-tree.
puis, then.
puiser, to draw.

puisque, since.
puissance, *f.*, power.
puissant, -e, powerful.
puits, *m.*, well.
punir, to punish.
punition, *f.*, punishment.
pureté, *f.*, purity.

Q

quand, when.
quant; — à, as for.
quantité, *f.*, quantity.
quarante, forty.
quartier *m.*, piece, mass.
quatre, four.
que, *pron.*, whom, that; *conj.*, that, than.
que, *adv.*, how, what! let; — de fois, how many times.
quel-le, who, which, what.
quelque, some; -chose, something; -fois, sometime; -s uns, some.
querelle, *f.*, quarrel.
questionner, question.
queue, *f.*, tail.
qui, who, whom, that, whoever, which, what.
quiconque, whoever.
quinze, fifteen.
quitter, to leave, take leave of.
quoi, what; de —, of which, sufficient, something.
quoique, although.

R

racine, *f.*, root.
raconter, to tell, relate.
radeau, *m.*, raft.
rafraîchir, to refresh, cool, air.
raisin, *m.*, grape.
raison, *f.*, reason; avoir —, to be right.
rajeunir, to make young again, restore to youth.

ralentir (se), to slacken.
rallumer, to light again.
rameau, *m.*, branch, bough.
ramener, to bring back.
ramier, *m.*, wood-pigeon, ring-dove.
rampant, –e, creeping.
rang, *m.*, row, rank.
ranger, to set in order; se —, to arrange oneself.
ranimer, to reanimate, restore to life again.
rappeler(se), to recall, remember.
rapporter, to report.
rapprocher (se), to come nearer.
rarement, rarely.
rassasié, –e, surfeited, tired, full of.
rassembler, to gather together.
rassurer, to reassure. [rat.
rat, *m.*, rat; musque—, musk-
rattacher, to attach again.
ravir, to delight, carry off, snatch away, rob, take from.
ravissement, *m.*, rapture, ec-stasy.
rayon, *m.*, ray.
récevoir, to receive.
réchauffer, to warm.
réciproque, reciprocal, mutual.
recit, *m.*, recital, tale.
recommander, to recommend, charge.
reconnaissance, *f.*, gratitude.
reconnaissant, –e, grateful.
reconnaître, to recognize.
recoucher (se), to lie down again.
recoudre, to sew again.
recours, *m.*, recourse.
recueillement, *m.*, meditation, concentration of thought.
recueillir, to gather, take up.
reculé, –e, distant, remote.
reculer, to draw back.
redire, to report.
redoubler, to redouble.
redoutable, redoubtable, for-midable.

réduire, to reduce.
réellement, really, truly.
réfléchir, to reflect.
réflexion, *f.*, reflection.
refroidir, to grow cold.
refuser, to refuse.
regard, *m.*, look, glance, gaze.
régner, to reign.
regretter, to regret.
régulièrement, regularly.
reine, *f.*, queen.
reins, *m. pl.*, reins.
rejaillir, to rebound, spring back.
rejeter, to reject.
réjouir (se), to rejoice.
relâcher, to relax, loosen.
reléguer, to banish, relegate.
relever (se), to rise again.
religieux, *m.*, monk, friar.
religieu-x, –se, religious.
relique, *f.*, relic.
remarquer, to notice.
remède, *m.*, remedy.
remercier, to thank.
remettre, to hand, give up.
remonter, to reascend, go up, *or* back.
remords, *m.*, remorse.
remplacer, to replace.
remplir, to fill up.
remuer, to move, stir, dig.
renard, *m.*, fox.
rencontrer, to meet.
rendre, to restore, return; se —, to go, repair, proceed.
renfermer, to shut up.
renommée, *f.*, reputation, re-nown.
renoncer, to renounce.
renouveler, to renew.
rentrer, to return, return home, come back.
renverser, to overturn.
repaire, *m.*, den, lair.
répandre, to pour out, spread.
repartir, to answer, reply.
repas, *m.*, repast, meal.
repentir, to repent.

répéter, to repeat.
repli, *m.*, recess, corner.
répliquer, to reply.
répondre, to reply, answer.
reporter, to transfer, direct again.
repos, *m.*, repose, rest.
reposer, to rest; se —, to rest.
repousser, to repel.
reprendre, to take up again, resume, reply; reprit son cours, began to flow again (of blood).
représenter, to represent.
réprimander, to reprimand, reprove.
reproche, *f.*, reproach.
résigné, –e, resigned.
résigner, to resign.
résister, to resist.
résolu, –e, determined, resolute.
résonner, to resound, clang.
résoudre, to resolve.
respirer, to breathe.
ressembler, to resemble.
reste, *m.*, remainder, rest, remains.
rester, to remain.
retarder, to retard, delay.
retenir, to retain, keep back, bind.
retentir, to resound, echo, ring.
retirer, to retire, draw back.
retomber, to fall, fall back.
retour, *m.*, return; sans —, forever; en —, in return.
retourner, to return.
retraite, *f.*, retrait, shelter, seclusion.
retrouver, to find again.
réunir, to reunite.
rêve, *m.*, dream.
réveil, *m.*, awaking.   [up.
réveiller, to rouse; se —, to wake
revenir, to come back.
rêver, to dream.
revers, *m.*, back, other side, slope.
revêtir, to put on, clothe.

revivre, to revive, live again.
revoir, to see again.
révolter, to revolt, rebel.
riant, –e, smiling, laughing, cheerful.
ride, *f.*, wrinkle.
rideau, *m.*, curtain.
rien, *m.*, nothing.
rigueur, *f.*, severity.
rigoureu-x, –se, severe.
rire, to laugh.
risque, *m.*, risk.
rivage, *m.*, shore, bank, side.
rive, *f.*, bank, shore.
rivière, *f.*, river.
riz, *m.*, rice.
robe, *f.*, dress.
rocher, *m.*, rock.
roi, *m.*, king.
rompre, to break.
ronce, *f.*, briar, bramble.
ronde, *f.*, round; dix lieues à la —, within ten leagues.
rongé, –e, eaten.
ronger, to gnaw, prey upon.
rose, rose-colored, pink.
roseau, *m.*, reed.
rosée, *f.*, dew.
rossignol, *m.*, nightingale.
rotonde, *f.*, rotunda.
roucoulement, *m.*, cooing.
rouge, *m.*, red.
rougeâtre, reddish.
rougir, to grow red, redden, blush.
roulement, *m.*, rolling, roll.
rouler, to roll.
rouvrir, to reopen.
royaume, *m.*, realm.
rugissement, *m.*, roar.
ruine, *f.*, ruin.
ruisseau, *m.*, stream.
ruse, *f.*, cunning, trick, craft.

S

sable, *m.*, sand.
sacerdoce, *m.*, priesthood.

sachem, *m.*, Sachem, chief (of a tribe of Indians).

sacré, –e, sacred.

sacrificateur, sacrificer.

sacrifice, *m.*, sacrifice.

sacrifier, to sacrifice.

sage, wise.

sagesse, *f.*, sagacity, wisdom.

saint, –e, sacred, holy.

saisir, to seize, strike with amazement.

saison, *f.*, season.

salle, *f.*, room, hall.

saluer, to salute.

salut, *m.*, salvation, safety.

sanctifier, to sanctify.

sanctuaire, *m.*, sanctuary.

sang, *m.*, blood.

sanglot, *m.*, sob.

sans, without.

sapin, *m.*, fir-tree.

satiété, *f.*, satiety.

satisfaire, to satisfy.

saule, *m.*, willow.

saut, *m.*, fall.

sauvage, savage.

sauvage, *m.*, a savage.

sauver, to save, rescue.

sauveur, *m.*, Savior.

savane, *f.*, savannah, prairie.

savinier, *m.*, savine, red cedar.

savoir, to know, know how; je ne sais quoi, a something, I know not what; je ne saurais, I cannot.

scapulaire, *m.*, scapulary.

sculpté, –e, sculptured, carved.

sculpter, to carve out.

séant, *m.*, se dresser sur son —, to sit up.

sec, sèche, dry.

sécher, to dry, wither.

secouer, to shake.

secourable, helping, helpful.

secours, *m.*, aid, succor.

séduire, to bribe, corrupt.

seigneur, *m.*, Lord.

sein, *m.*, bosom, breast.

seizième, sixteenth.

séjourner, to sojourn, remain, stay.

selon, according.

semblable, *m.*, fellow-creature, *or* man.

semblable, like, similar.

sembler, to seem.

semer, to sow.

sensible, tender, endowed with feeling.

sensibilité, *f.*, sensibility, feeling, sensitiveness.

sensitive, *f.*, sensitive-plant.

senteur, *f.*, odor, fragrance.

sentier, *m.*, path.

sentir, to smell, feel.

seoir, to become, suit.

séparer, to separate.

sept, seven.

septentrion, *m.*, north.

septentrionale, northern.

sépulcre, *m.*, sepulchre.

sépulture, *f.*, sepulture, burial.

serein, –e, serene.

sérénité, *f.*, serenity.

serment, *m.*, vow.

serpenter, to wind.

serpent-oiseleur, *m.*, bird-catching snake.

serrer, to clasp, press.

servir, to serve.

serviteur, *m.*, servant.

seul, –e, alone.

seulement, only.

si, if, such.

siècle, *m.*, century.

sifflement, *m.*, whistling, hissing.

siffler, to whistle, hiss.

signe, *m.*, sign.

silence, *m.*, silence; fit —, was still.

silencieusement, silently.

sillonner, to furrow, flash through (of lightning).

Siminole, *m.*, Seminole Indian.

simplicité, *f.*, simplicity.

singuli-er, –ère, singular.
sinon, if not, otherwise, or else.
site, *m.*, site.
sitôt, as soon as.
situé, –e, situated.
société, *f.*, society.
sœur, *f.*, sister.
soie, *f.*, silk.
soin, *m.*, care; prendre —, to be mindful of, provide for.
soir, *m.*, evening.
soit; *subj.* of *être*; — ... —, whether ... or.
soixante-seize, seventy-six.
sol, *m.*, soil, earth.
soleil, *m.*, sun.
solitaire, *m.*, hermit, recluse.
solitaire, solitary.
solliciter, to solicit, entreat.
sommeil, *m.*, sleep.
sommet, *m.*, summit, top.
son, *m.*, sound.
sonder, to sound, search, try.
songe, *m.*, dream.
songer, to dream, think, realize.
sonner, to ring, sound.
sonnette, *m.*, bell; serpent à –s, rattlesnake.
sort, *m.*, fate, lot.
sorte, *f.*, kind, sort.
sortir, to go *or* come out.
souci, *m.*, care.
soudain, –e, sudden.
souffle, *m.*, breath.
souffrance, *f.*, suffering.
souffrir, to suffer.
soufre, *m.*, sulphur, brimstone.
souhaiter, to wish.
soulagement, *m.*, relief, allevia-tion, solace.
soulever, to lift, raise.
soumettre, to submit.
soupir, *m.*, sigh.
soupirer, to sigh, breathe out *or* forth.
source, *f.*, spring.
sourd, –e, deaf, muffled, dull, hollow. secret, underhand.

sourire, *m.*, smile.
sourire, to smile.
souvenir, *m.*, memory.
souvenir (se), to remember.
sous, under.
soustraire, to save, take away.
soutenir, to sustain.
souvent, often.
spectacle, *m.*, spectacle, show; en —, as a spectacle.
spectateur, *m.*, spectator.
splendeur, *f.*, splendor.
spongieu-x, –se, spongy.
squelette, *m.*, skeleton.
suave, sweet, fragrant.
subir, to undergo.
subit, –e, sudden.
subitement, suddenly.
subjuguer, to subjugate, sub-due.
submerger, to submerge.
substituer, to substitute.
succomber, to yield, succomb.
sucré, –e, sweet.
sucre, *m.*, sugar.
succéder, to succeed, follow.
sueur, *f.*, sweat, perspiration.
suffire, to suffice, be sufficient.
suite, *f.*, sequel, continuation; dans la —, afterwards.
suivre, to follow.
sumac, *m.*, sumach.
superbe, superb.
supériorité, *f.*, superiority.
supplice, *m.*, punishment, tor-ture.
supporter, to bear.
sur, on, upon.
surcroît, *m.*, addition; pour — de, to complete, add to.
surmonter, to surmount.
surnaturel, –le, supernatural.
surpasser, to surpass.
surprendre, to surprise.
surtout, especially.
sus, upon; en —, in addition.
suspendre, to suspend.

T

tableau, m., picture.

tache, f., spot, blemish.

tâcher, to try.

taille, f., figure.

tailler, to cut.

taire (se), to be silent, keep still.

tamarin, m., tamarind.

tandis que, while.

tant, so much.

tantôt, soon; — .... —, sometimes, ... sometimes.

tapisserie, f., carpeting, tapestry.

tard, late.

tarder, to be long.

teindre, to stain, dye.

tel, –le, such, so, thus.

témoignage, m., testimony.

témoigner, to express, show.

témoin, m., witness.

tempe, f., temple, forehead.

tempéré, -e, temperate, well-balanced.

tempête, f., tempest, storm.

temps, m., time; de — en —, from time to time.

tendre, to extend, hold out, give.

tendre, tender.

tendresse, f., tenderness.

ténèbres, f. pl., darkness, gloom, obscurity.

tenir, to hold.

tente, f., tent.

tenter, to tempt, attempt.

terminer, to terminate.

terrain, m., ground, soil.

terre, f., earth, land.

tertre, m., hillock, rising ground.

tête, f., head.

tige, f., stem, trunk.

tigre, m., tiger.

tintement, m., ringing, tinkling.

tirer, to draw, take out.

toit, m., roof.

tombe, f., tomb.

tombeau, m., tomb.

tomber, to fall.

tonnerre, m., thunder.

tordre, to twist, wring, wrench.

torrent, m., torrent, flood, stream.

tortue, f., tortoise, turtle.

tôt, soon; — ou tard, sooner or later.

totalement, totally.

touchant, -e, touching, affecting.

toucher, m., touch.

toucher, to touch, be close to.

tour, m., turn; — à tour, by turns.

tourbillon, m., whirlwind, whirlpool, cloud.

toujours, always.

tourment, m., torment.

tourmenter, to torment.

tourner, to turn; se —, to turn around.

tournoyer, to whirl about.

tout, all, every; adv., quite, all, thoroughly, however; du —, at all.

toutefois, nevertheless, however, still.

tracer, to trace.

tragédie, f., tragedy.

trahir, to betray.

traîner, to drag, draw.

trait, m., feature.

traité, m., treaty.

transport, m., transport, delirium, fit (of violent passion).

transporter, to transport.

travail, m., work, labor.

travailler, to work.

travers, m., breadth, irregularity; à —, across.

traverser, to traverse, cross, go across.

trembler, to tremble.

tremper, to soak, bathe.

trente, thirty.

trépas, *m.*, death.

très, very.

tressaillir, to tremble, start.

trésor, *m.*

tribu, *f.*, tribe.

tributaire, *m.*, tributary.

triomphe, *m.*, triumph.

triompher, to triumph.

triste, sad.

tristement, sadly.

trois, three.

troisième, third.

tromper, to deceive.

tronc, *m.*, trunk.

trône, *m.*, throne.

trop, too much.

trouble, *m.*, disturbance, agitation, uneasiness, trouble.

troubler, to trouble.

troupe, *f.*, troop, band, company.

troupeau, *m.*, troop, band, herd.

trouver, to find.

tuer, to kill.

tulipier, *m.*, tulip-tree.

tumulte, *m.*, tumult.

tunique, *f.*, tunic.

U

ulcérer, to ulcerate, embitter.

un, –e, one, a, an.

unique, unique, one, sole.

unir, to unite.

univers, *m.*, universe.

universel, –le, universal.

urne, *f.*, urn.

usage, *m.*, custom.

utile, useful.

V

vagabond, *m.*, vagabond.

vague, *f.*, wave.

vain, –e, vain.

vaincre, to conquer.

vainement, vainly.

vaisseau, *m.*, vessel.

valeur, *f.*, value, valor, bravery.

vallée, *f.*, valley.

vanité, *f.*, vanity.

vanter, to boast.

vapeur, *f.*, vapor.

varier, to vary.

vase, *m.*, vase, vessel.

vase, *f.*, slime, mud.

vaste, vast.

veillée, *f.*, watch, night-watch.

veiller, to watch, keep an eye on.

vendre, to sell.

venger, to avenge.

venir, to come.

vent, *m.*, wind.

ventre, *m.*, stomach.

vermillon, vermilion.

vermoulu, –e, worm-eaten.

ver, *m.*, worm.

véritable, true.

verre, *m.*, glass.

vers, toward.

verser, to pour out, shed (tears).

vert, –e, green.

vertu, *f.*, virtue.

vertueu–x, –se, virtuous.

vestale, *f.*, vestal virgin.

vêtement, *m.*, clothing.

vêtir, to dress, clothe.

vicieu–x, –se, vicious, defective.

vie, *f.*, life.

vieillard, *m.*, old man.

vieillesse, *f.*, old age.

vierge, *f.*, maiden.

vieu–x, vieil, –le, old.

vi–f, –ve, lively, active.

vigne, *f.*, vine, grape vine.

ville, *f.*, city, town.

vin, *m.*, wine.

vingt, twenty; –deux, twenty-two; –septième, twenty-seventh.

violer, to violate.

virginité, *f.*, virginity.
vis-à-vis, opposite.
visage, *m.*, face.
visiter, to visit.
vite, quickly.
vivacité, *f.*, vivacity.
vivre, to live.
vœu, *m.*, vow, wish, prayer.
voici, behold, here is.
voie, *f.*, way.
voilà, behold, there are.
voile, *m.*, veil.
voile, *f.*, sail.
voiler, to veil, conceal, hide.
voir, to see; faire —, to show.
voisin, –e, neighboring, near by.
voix, *f.*, voice; à demi —, in
    a low voice.
vol, *m.*, flight.
voler, to fly.
volonté, *f.*, will.

voltiger, to flutter.
volubilité, *f.*, volubility.
vomir, to vomit forth, throw
    out.
vouloir, to wish, be willing.
voûte, *f.*, arch.
voyage, *m.*, journey.
voyageur, *m.*, traveller, voyager.
voyageu–r, –se, migratory.
vrai, –e, true.
vue, *f.*, sight, view; à — d'œil,
    visibly.

Y

y, to it (him, her or them), there;
    il — a, there is or are, ago.

Z

zèle, *m.*, zeal.